香港猛鬼札記

進入恐怖心寒的迷離世界

《網絡靈異故事專集》系列第一期由二零零六年創刊面世，迄今已十多年，堪稱香港長壽的鬼書期刊，涉及的題材非常廣泛，有學校鬼故、猛鬼職業、凶宅惡魅、都市異聞、降頭邪靈等等，自出版以來一直深受讀者的喜愛，部分期數即使再版也差不多售罄，讀者想補購也不行，在此萬分多謝讀者的支持！

為了滿足讀者的要求，編輯部特意將《網絡靈異故事專集》重新修訂，全新打造成《香港猛鬼札記》系列，好讓年青的讀者也可欣賞得到，希望大家喜歡。

打開本書，一同潛進監獄和醫院這個人間煉獄探險，與亡靈對話！你心臟負荷得了嗎？夠膽接受這挑戰嗎？

香港猛鬼札記。貳

詛咒禁忌

書名：詛咒禁忌
作者：鬼差
出版：靈媒體（超媒體出版有限公司）
地址：荃灣海盛路 11 號 One MidTown 2913 室
出版計劃查詢：(852) 3596 4296
電郵：info@easy-publish.org
網址：http：//www.easy-publish.org
香港總經銷： 香港聯合書刊物流有限公司
圖書分類：靈異故事
國際書號：978-988-8670-15-4
定價：HK$68

Printed and Published in Hong Kong

CONTENT

詛呪禁忌

詛咒
禁忌

CONTENT

CONTENT

詛咒禁忌

【娛樂禁忌】

詛咒禁忌。故事

詛咒

禁忌

生活禁忌

「仲古老十八代咩！我天不怕地不怕，百無禁忌的！」

如果各位讀者都有此想法，就大錯特錯，日常生活有很多禁忌是犯不得的，例如亂拿筷子會惹來猛鬼附身！亂放鏡子會遭橫禍！夜晚駕車小心被鬼玩……

1. 夜晚如廁的禁忌

深夜寂靜無人，去廁所時都咪話唔驚！尤其是夜晚的公廁非常容易聚集靈體，一個唔小心犯了禁忌，隨時惹禍上身！曾經就有人不小心犯了夜晚如廁的禁忌，結果慘遭橫禍！

去廁所撞到正！

傳聞，有人去夜街走進公廁，正「解放」得非常暢快時，突然感覺得頸背後面有東西輕輕劃過，初時他都不為意，但怎知道一下、兩下、三下，感覺到不斷有東西劃過他的頸背，他不耐煩之下便用手去摸，怎知道竟然摸到濕濕滑滑的液體……他放下手來一看，竟然是鮮紅的血水！最後由於受驚過度，被人送入了精神病院！

有人可能會問，難道人有三急，夜晚就不能如廁嗎？

當然不是！不過一定要遵守以下夜晚如廁的禁忌，才可避免惹禍上身！

1. 夜晚去廁所時，如果感覺到脖子後面有東西輕輕地劃過，千萬不要用手去摸，否則你會摸到……
2. 千萬不要看廁盆裡積水的倒影……因為此時水中倒影照出來的正是自己死去時的容貌！假如照出來的是老人的樣子那還好，但假如是你此時此刻的模樣，那麼 ......
3. 凌晨去廁所時切忌說粗口，如果說粗口，會被一隻叫「攝青鬼」的惡靈附體，到時你就知死！
4. 唔知大家有無試過在深夜裡摸黑去廁所，明明是伸手不見五指，卻仍然能夠清清楚楚地看見自己的影子呢？或者明明是燈火通明，卻無論如何也找不到自己的影子？之所以會發生這種情況，其實都是由於靈體作祟！不過，這些靈體多數是沒有惡意的，因為它們害怕人氣，於是就幻化成人的影子或把人的影子遮擋住。
5. 夜晚如廁時如果聽到有「人」跟你說話，甚至向你提問，你最好急步離開，而且千萬不要答話、不要搭訕！據聞，在某大學院裡，學生深夜上廁所的時候，總會聽見有人在低聲哭泣。有人出於好奇地問對方發生了甚麼事情，對方就會停止哭泣，輕輕地問道：「紅的還是白的？」據說不回答還好，因為無論回答甚麼，回答的人都會慘遭不測！假如回答紅的，就會頭頂流血，渾身被鮮紅的血液浸成紅色，然後抽搐而死；如果回答白色，那麼體內的血液就會被抽乾，全身慘白，痛苦地死去！

2. 搭 Lift 絕密禁忌

處於陰暗幽閉的 Lift 之內，千萬要小心！Lift 中通常是靈體最容易出沒的地方，一個唔覺意犯禁，隨時被靈體當成替身，連命都無！

搭 Lift 都撞鬼，邪！

有人就是對搭 Lift 的禁忌之以鼻，慘遭惡靈附身……

據聞，有位愛美的女士在空無一人的 Lift 中，不斷照著 Lift 的鏡面化妝，突然——她眼尾見到在身後站著一個人！她立刻轉頭一看，卻又不見人影！她以為是自己的心理作用，便不再理會，繼續化妝，怎知道沒多久——她竟然從鏡中又見到那個人影！這次她知道不是心理作用，而是確確實實有一個「人」站在她身後！她不再夠膽望鏡，她在心裡不斷祈禱，希望 Lift 可以盡快到達！在她心急如焚之下，Lift 終於到達地下，她沒等 Lift 門完全開啟便衝了出去！自此以後她搭 Lift 再也不敢四圍張望，怕會遇到污糟嘢！

搭 Lift 時怕犯禁惹禍上身？立即為你詳談搭 Lift 禁忌！

1. 現代電梯都是採用不鏽鋼，表面光亮，尤其在夜裡單獨乘坐的時候切記不要呆呆凝視自己的影像，據傳持續五秒以上會見到可怕的東西……
2. 不要在電梯裡照鏡子化妝，否則，很快從鏡子裡看到背後有「第 3 者」……

3. 門打開了，如果你發現裡面站著一個低著頭的陌生人，他雖然低著頭，但眼睛卻凝視著你，你千萬不要走進去，因為這就是鬼……
4. 當你一個人在電梯裡的時候，你發現走進來的一個陌生人，神情呆滯卻死瞪著你，你最好馬上出 Lift，這個即是不是鬼，也是神經病的！
5. 如果搭 Lift 時，Lift 內有人問你現在幾點了，你千萬不要告訴他，據說那就是你的死期。找個借口說沒帶錶或者說錶停了吧！
6. 如果和一個陌生人站在電梯裡，記住千萬不要站在那個人的身後或者被那個人站在你的身後，你應該與那個人並排，原來不管是惡鬼還是惡人都喜歡從背後或者面前來襲擊人，惟有並排而站時最難下手。
7. 如果 Lift 門打開，裡面有一雙鞋，千萬不要走進去，據說鬼就站在那裡，只是你看不到而已。
8. 如果單獨乘坐 Lift 時如果突然遇到停電，千萬不要慌張，只要冷靜地按下呼叫按鈕等待救援。如果對方問你幾個人，千萬不要說一個人，因為這樣做等於引狼入室，而且你根本不知道電話對面那個是誰。
9. 如果 Lift 門並不在正確位置開啟，而是只露出一半，不要貿然爬出去，你應該按下呼叫按鈕等待救援，據說在你爬出 Lift 的過程中，Lift 會突然掉落或上升，把你活活擠死。

3. 拿筷子的禁忌

由細至大，老一輩的人都會教訓我們用筷子的正確方法，一不小心用錯方法，往往被人大罵一頓！不要以為上一輩人無理取鬧，以為他們係又鬧唔係又鬧，其實中國人使用筷子有一套非常講究的禮儀，一但犯禁往往讓人覺得受侮辱，更令人覺得你無家教！除了因為禮儀之外，使用筷子不當更有可能引鬼附身，或引鬼同食！

亂拿筷子玩死自己

香港某套電影曾提及見鬼的方法，有一幕是說主角們拿著碗筷不斷敲擊，結果引出無數靈體前來搶食，更將他們嚇得心驚膽顫！不要以為這些是電影裡才會出現的情節，有人曾經就是不肯跟隨使用筷子的禮儀，最後慘同鬼爭食！如果你日日覺得口淡淡，食咩都無味，就好有可能因為犯了拿筷子的禁忌，結果引入靈體與你爭食！

正確使用筷子方法

我們使用筷子的正確方法是手執筷子，大拇指和食指捏住筷子的上端，另外三個手指自然彎曲扶住筷子，筷子的兩端一定要對齊。唔想犯上拿筷子的禁忌？以下大忌一定要銘記在心：

1. 忌三長兩短

用餐前或用餐過程當中，將筷子長短不齊的放在桌子

上，是非常不吉利的。因為長短不齊有「三長兩短」的含意，棺材佬要把屍體放進去以後，下一步要蓋棺材蓋，棺材的組成部分是前後兩塊短木板，兩旁加底部共三塊長木板，五塊木板合在一起做成的棺材正好是三長兩短。各位，把筷子擺出「三長兩短」的陣勢是否惹人動怒？

2. 忌手指指

這種拿筷子的方法是，用大拇指和中指、無名指、小指捏住筷子，而食指伸出。吃飯時食指伸出，總在不停的指著別人，帶有指責的意思，同罵人一樣的，是大忌也！

3. 忌啜筷子

把筷子的一端含在嘴裡，用嘴來回去啜，並不時發出「嗞嗞」聲響，這種行為被視為一種下賤的做法。因為在吃飯時用嘴啜筷子是一種無禮的行為，再加上配以聲音，更是令人生厭。

4. 忌擊打飯碗

用餐時用筷子敲擊飯碗，這種行為被看作是乞丐要飯，因為過去只有討飯吃的人才會用筷子擊打飯盆，其發出的聲響配上嘴裡的哀號，使路人注意及給與施捨。尤其在夜晚，如果用筷子擊打飯碗，更會引來靈體與你爭食，隨時惹禍上身！

5. 忌操來操去

旁若無人般用筷子來回在餸菜裡操來操去，人家還有

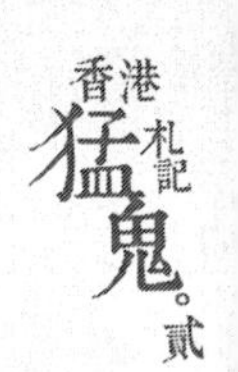

胃口吃下去嗎 ？此種行為是典型的缺乏修養的表現，且目中無人極其令人反感，大家不拍枱走人才怪呢！

6. 忌顛倒筷子

把筷子一頭一尾調轉使用，除非你是外國人，人家可以原諒；否則，這種做法是非常被人看不起的！

7. 忌筷子當叉用

筷子用來夾餸，叉用來插著食物，筷子和叉的用法是不同的。用餐時用筷子去插碟子上的餸，會被認為對同桌用餐人員的一種羞辱。

8. 忌插飯中央

若要在用餐期間離開飯桌一會兒，把筷子對齊放在飯碗右邊即可，但千萬別把一副筷子插入飯中，這如同給死人上香，好似當同枱吃飯的人死了一樣，不引致人家動怒才怪！

9. 忌交叉放筷

用餐時將筷子隨便交叉放在桌上，是不對的，就如同學生做錯功課，被老師打交叉一樣。這種做法是對人家大不敬。

10. 忌落地驚神

「落地驚神」的意思是指失手將筷子掉落在地上，這是嚴重失禮的一種表現。中國人認為，祖先們全部長眠在地下，不應受到打攪，筷子落地就等於驚動了地下的祖先，這是大不孝。

4. 惹鬼禁忌

你天生陰陽眼，時常會見到一些普通人看不見的東西嗎？你自問時常撞鬼嗎？那麼你要小心了！通常靈異體質的人很容易招惹陰邪的靈體，如果犯禁很容易被鬼招去魂魄，更慘被當成替身……

曾經有一個很容易撞鬼的女孩子，就是沒有留意行夜街的避忌，不幸撞到污糟嘢，更慘被尾隨……

夜晚獨行撞鬼記

話說，她一日夜晚回家時經過一條行人隧道，那時候已經凌晨 1、2 點，隧道當然人影都無隻，但怎知道她在隧道中一轉彎，就見到前方有一個著紅衫的女人撐著一把紅色的雨傘！她嚇了一跳，但表面上仍然不動聲息，低著頭越過那女人。但她越行越覺得有人在後跟著她，她眼尾往後瞄一瞄，赫然見到那個女人就跟在她背後，更只有 3 步的距離！她大驚之下不斷急步走，想撇開那女人，但無論她怎樣跑，那女人仍然緊貼住她！最後跑到一間廟入面，那紅衣女人才沒有再跟住她！

唔想撞鬼可以點？

別以為她只是不好彩才會被鬼跟！易撞鬼的人很容易成為遊魂野鬼的目標！唔想惹鬼，就要注意以下的禁忌：

1. 如果天不下雨又沒太陽，但竟然看見有人還撐著傘，特別是紅色的傘，你就要小心了。因為這種人不是精神有

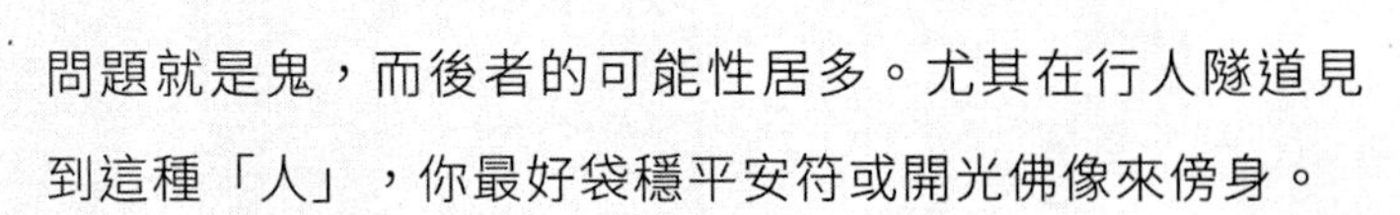

問題就是鬼，而後者的可能性居多。尤其在行人隧道見到這種「人」，你最好袋穩平安符或開光佛像來傍身。

2. 如果你做夢時夢到有人跟你說話，不要隨便答話，因為你說的每一句話都可能會為你帶來災難，特別是對方要求你跟他走之類的話，更不要答應，因為你可能因此「長眠不起」！
3. 大興土木時，如果挖出骨甕、骨灰盅之類的東西，一定要燒香拜祭一下。此外，如果挖到青磚，之後也要進行撒米的驅鬼儀式，因為青磚是古代墓室多數會用到的。
4. 晚上不要隨便上尾班巴士，傳聞這是鬼差專用交通工具。
5. 夜晚在路邊如果看見有女人或者小孩在暗角裡陰森地哭叫，千萬不要上前去安慰，很大可能「它們」就是鬼！
6. 如果午夜十二點正接到電話，切記不要一拿起電話就說話，要搞清楚對方是誰後再開聲說話。據聞有些靈體最喜歡十二點的時候打出電話，如果你不幸被揀中了，不要在電話裡作出任何承諾或者是說和時間有關的事，因為那個時間可能就是你的死期。
7. 晚上一個人最好不要搭 Lift，特別是裝滿鏡子的電梯，傳聞陰靈最喜歡躲在電梯的鏡子裡。
8. 最好不要在家中收藏古董，因為每一個古老的器物都有可能留藏著主人不尋常的故事，如果你想半夜起來為鬼魂伸冤，又或是替它們完成生前未完成的遺願，那你就儘管收藏吧！
9. 給孩子買甚麼玩具都好，就是不要買娃娃，特別是日本或泰國的人偶娃娃，這種東西很邪門！

5. 孕婦的禁忌

「嘩！你生咗啲咩出嚟？」突然病房中有人大聲地說。

「媽 …… 佢都唔想㗎，可能佢之前拎過針線剪刀，先會生到我哋個仔咁 ……」

「都叫咗你懷住 BB 時一定要聽話唔好犯禁！你睇你！生到我個孫無咗隻腳 ……」

以上對話是不是很熟悉？幾乎每個老一輩的人都會叫家中孕婦小心呢樣小心嗰樣，而且孕婦懷胎時更有接近 30 個禁忌要遵守，如果你家中有長輩，孕婦最好堅守以下禁忌，讓長輩安心之餘，可以當避忌一下，為生個健康 BB 做好準備！立即同你一起完全了解孕婦懷胎時的禁忌！

1. 忌吃兔肉

若吃了兔肉，產下的孩子會長出兔唇！這一說法流傳範圍極廣，流傳年代也頗為久遠。西晉人張華的《博物志》中就有記載「妊娠者不可啖兔肉，又不可見兔，令兒缺唇。」《產寶》（唐代昝段著）、《衛生家寶產科備要》（宋代朱瑞章著）這類婦產古書裡都寫有「母食兔肉胎兒發生兔唇」字句。

2. 忌吃狗肉

將來孩子愛咬人，吃奶時也愛咬奶頭。

3. 忌吃驢肉

吃了驢肉，將來孩子會不聽話。

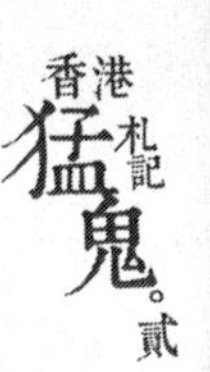

4. 忌吃螃蟹

這樣生下來的孩子會不斷流口水，又說吃螃蟹令胎橫難產。而台灣民俗則以為吃了蟹，生出來的孩子像蟹那樣抓扭別人的手腳。當中有部分是有迷信成份，但也不乏有科學根據的。因為食蟹對虛寒人士容易產生風疹、胃抽筋、肚瀉及腹痛等。而對皮膚敏感人士容易產生紅腫痕癢、皮膚疹、嘔吐、噁心、胃抽筋、肚瀉及腹痛等。這些敏感癥狀對大人來說可以應付，但腹中胎兒就很危險啊！

5. 忌吃河蚌肉

生下來的孩子舌頭會生滋。

6. 忌吃獵頭肉

生下來的孩了會生瘡或癬子。

7. 忌食生薑

生下來的嬰兒有六指。

8. 忌食鴨子

認為吃了鴨子，孩子要生搖頭病。

9. 不要吃生冷、寒冷的食物

如涼粉、西瓜、雪糕，這會造成早產，甚至小產呢！

10. 忌吃羊肉

會令胎兒「發羊吊」。

11. 忌把剪刀或剪指甲拿到床上

生出來的 BB 會有兔唇 。

12. 忌將手舉高過肩

孕婦因體型改變，重心也比較不穩，因此應盡量避免拿高處的東西。最好能將家中常用的物品，放置在與孕婦肩膀同高的高度，避免發生重心不穩跌倒的意外。

13. 忌拍孕婦肩膀

孕婦受到驚嚇，有機會導致流產，懷孕期間，孕婦的情緒容易緊張、煩躁，孕婦緊張時所分泌出的腎上腺素，會讓胎兒動得比較厲害。

14. 忌整修房子

家中有孕婦的話，不能隨便修整房子，也不能搬家。根據老一輩的說法，是因為搬家會驚動到胎神，容易流產。不過以現代的科學角度來說，搬家或是房屋裝修，都會付出更多的勞力及心力，且需要搬動重物，對重心不穩的孕婦來說，發生意外的機會也相對提高。

15. 忌縫針線動剪刀

根據傳統說法，相傳孕婦拿剪刀、縫製物品，生出來的寶寶可能會有缺陷！

16. 曬衣服造成流產

孕婦因為體型改變的關係，加上懷孕後期，肚子明顯隆起，重心改變，自然有許多行動上的限制，譬如說不適合墊腳尖拿東西，抱太重的物品等。

17. 勿待在吵雜的環境中

孕婦長期待在嘈雜的環境中，或聽嘈雜的音樂，將來

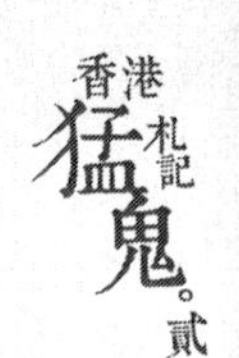

寶寶會愛哭！從科學的角度來看，音樂的確能刺激寶寶的腦部發展，不過搖滾樂、電子音樂等節奏快的音樂，會使胎兒興奮、緊張、不舒服。

19. 不能參加喜慶

老一代的長輩都說孕婦不能在懷孕四個月內參加任何喜慶，因為他們認為懷孕本身就是喜事，若又同時參與其他喜慶，可能會造成「沖喜」，對孕婦本身及另一喜事者都不好。

19. 不能看鬼戲

老一代的長輩認為，孕婦看鬼片，孩子的容貌會變醜。其實，孩子的容貌早在精卵受精時就已決定，與睇鬼片並無關連。然而鬼片會影響孕婦的心情，造成孕婦的焦慮與恐懼，確實有不良影響。為了擁有愉快的心情，還是多看些賞心悅目、令人精神愉快的圖片、影片，這樣對孕婦和胎兒都有益。

20. 拍肩膀會導致流產

老一代的長輩認為，從背後拍孕婦的肩膀會導致流產。拍孕婦肩膀會導致流產，其實是有點道理可尋的，因為拍肩膀會造成背部的壓力，因而某種程度上會影響到腹部。如果母體氣血虛弱，旁人這類較粗魯、較用力的肢體動作，則有可能造成流產。

21. 搬家、搬重物會導致流產

老一代的長輩認為，懷孕時搬家，尤其是在房間內移動床位、衣櫃等物，會動到「胎神」，使孕婦動到胎氣，造成胎兒不保的危險。孕婦在搬動物品時，可能造成肌肉拉長、子宮拉扯、過份勞累、不慎碰撞到腹部或是摔傷，容易引致子宮急劇收縮，有可能導致出血或早產的意外。為了確保自己及腹中胎兒的安全，孕婦在行動上應該多加小心謹慎，以避免意外的發生。

22. 釘釘子、敲東西、動針線會生出兔唇寶寶

老一代的長輩認為，釘釘子、敲東西這些動作會動到「胎神」，而「胎神」具有保護胎兒的功用。中國的農民曆有記載「胎神」位置，例如今天「胎神」的位置是在廚房，就不適宜搬動廚房，「胎神」的位置在客廳，就不宜在客廳釘釘敲敲……。這種說法並無實證證明，但確有孕婦因為釘東西而寶寶在出生後身上某處有釘痕的怪談！

23. 孕婦不能看產婦分娩

因孕婦看到正在分娩的產婦的痛苦表情，聽到產婦的叫喊聲，容易造成一種精神壓力，到自己分娩時可能會神經緊張，以致引致難產。

24. 禁止孕婦看月蝕

見了月蝕所生子女會身體不全。

25. 忌見猴、虎等不常見的動物和醜陋的人

怕受驚嚇，會衝犯「胎神」。

6. 產婦坐月禁忌

「都叫你唔好食咁多生冷嘢！依家肚痾喇！」廁所門口傳來一個老婆婆的聲音，非常著緊。

「媽！我都唔知㗎！」

「唉！都話咗產婦坐月一定要小心啲㗎！」

有生產過的女人應該都聽過老一輩的人要求她們坐月，因此即使產下健康的 BB 後，產婦仍然有很多禁忌要遵守。

老一輩的人認為，由於產婦生產後，氣血會大大流失，因此身體會產生很多問題，如果不想身體轉差，立即看產婦坐月的 4 大禁忌！

1. 忌洗頭、洗澡

老人家認為，女人坐月洗頭、洗澡會得頭風及日後關節會痠痛。不過，現代人認為，以前沒有風筒，產婦洗頭、洗澡後容易因著涼而感冒。現在不用怕了，只要能在洗頭、洗澡後，用風筒或大毛巾迅速將身體、頭髮擦乾，就不會有此疑慮了。

2. 忌外出公共場所

老人家認為，女人坐月不宜外出，產婦吹到風不好。這種說法亦不無道理，坐月子期間產婦應避免外出，一方面是為了避免感冒受寒，另一方面則是因公共場所空氣差，容易被感染疾病，所以最好少出入公共場所，以降低感染病菌的機會。

3. 忌吃生冷食物

古老說法：坐月時忌吃水果。生產過後母體氣血流失多，胃功能會變差，太冷的蔬菜水果會刺激胃部，造成拉肚子，所以產後少食生冷的水果有其道理。此外，冰冷食品，如雪糕、冰凍飲料等，不利於消化系統的恢復，還會給產婦的牙齒帶來不良影響。

4. 忌吃辛辣食品

辛辣食品如辣椒，容易耗氣損血，加重氣血虛弱，並容易導致便秘，進入乳汁後對嬰兒也不利。

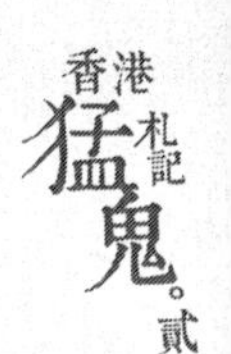

7. 手機輻射大禁忌

你以為只有吸煙才會危害健康？原來現代人不可或缺的通訊工具——手機，分分鐘會令我們的健康產生重大影響！日日用手機更易死過吸煙！

英國一名癌症研究專家得出驚人結論：使用手機而致死的人數，在未來將會超過吸煙死亡人數！這是迄今為止，關於手機危害健康的最嚴重警告。報告指出，使用手機 10 年以上的人，患腦癌的機會會增大一倍。報告中更指出，如果手機製造業和政府不立即採取決定性舉措，今後 10 年將會看到惡性腦瘤疾病在全球劇烈增加！

但手機是我們現代人不可或缺的產物，又能如何避免使用呢？立即教防手機輻射的絕招！

1. 縮在角落講電話

許多人為了避免別人聽到自己談話的內容，喜歡縮埋一角接聽電話，這是一種不好的習慣。在角落裡使用手機，信號通常較差，這會使手機的功率自動加大，從而造成手機輻射強度增大。基於同樣的道理，在電梯等小而封閉的環境裡使用手機，也會使手機輻射強度增大。

2. 手機掛在頸上或腰間

手機的輻射範圍，是一個以手機為中心的環狀帶，而手機與人體之間的距離，決定了人體受到輻射影響的程度。如果經常將手機靠在腰部或胸部，手機產生的輻射會影響人的生育能力和心血管功能。因此，正確的做法是把手機放在隨身攜帶的包中，並儘量把手機放在包的外層，以確保其信號暢通。

3. 手機貼近耳朵

當手機上的電話剛剛撥出而未接通時，其輻射強度會明顯增大，此時應讓手機遠離頭部，間隔約 5 秒鐘後再進行通話。另外，當手機信號變弱時，許多人都會儘量地將手機貼近耳朵以聽清對方的聲音。但手機的工作原理是：當其信號較弱時，會自動提高電磁波的發射功率，導致其輻射的強度增大，所以此時把手機貼近耳朵，會使頭部受到的輻射強度成倍增加。

4. 長時間用一隻耳聽電話

研究指出，手機貼近腦部後，長時間連續輻射會使人的腦部受到損害。因此專家建議，人們準備長時間地通話時，應改用固網電話或者使用與手機接通的耳機。如果不得不長時間地使用手機直接通話，也應每隔 1 - 2 分鐘就換用另一隻耳朵接聽，以避免一側大腦長時間受輻射影響。

5. 接電話頻繁移動

有些人喜歡在打手機時走來走去，豈不知頻繁地移動位置，會造成手機信號的強弱起伏，從而會加大手機的輻射量。另外，在行駛的車上打手機，也會加大手機的輻射量。

8. 晚上駕車的禁忌

如果你要夜晚來駕車的話，那請你記住夜晚駕車的禁忌。因為靈體最喜歡在夜間出沒，一個不為意犯禁，很容易冒犯它們，被它們當成替身 ......

曾經有司機不知道夜晚駕車的禁忌，而慘被鬼玩 ......

↑ 夜晚駕車撞鬼的機會很大！

阿輝是一個膽子很大的人，一晚他和朋友一起飲完酒後就自己駕車回家。在駕車的途中，阿輝忽然覺得有點冷，那種冷是油然而生，就像一股煙一樣在他身邊縈繞不去。車輛駛至海邊時，阿輝突然感覺到光線暗了許多，幾乎連前面的路也看不清楚。突然，阿輝感到一陣毛骨悚然，總是感覺到在自己的車後座有「人」在 ...... 他於是硬起膽子，從倒後鏡向後望，赫然見到有一灘水跡，而且更不停慘水出來 ......

阿輝暗叫自己冷靜，又從倒後鏡望向後座 ...... 這時！阿輝感覺到自己的脖子後面有點涼，似乎有一個人一直坐在他的後座上對著他呼氣一樣……阿輝從倒後鏡去回望自己的車後座，卻甚麼也沒看見。

阿輝正在驚慌間，發現車子竟然自動向海邊不斷駛近，無論阿輝怎樣踩煞掣，但架車仍然向海邊駛去 ...... 突然，一架大貨車駛過，強烈的車頭燈照進阿輝的車內，阿輝感覺到那種寒冷的感覺忽然輕了許多，而且車子也再次受他控制，他於是拼命把車子駛回馬路，直向熱鬧的大街衝去，嚇得他以後也不敢晚上駕車。

夜晚安全駕車必守禁忌

想晚上駕車安安全全，一定要遵守以下禁忌：

1. 晚上駕車時，不要老是從倒後鏡去回望自己的車後座，因為你不曉得你會看到甚麼。
2. 千萬不要老是嘀咕著說「不會有鬼坐在後面吧？」之類的話，因為鬼往往是伴隨著你的恐懼心理而生的，你越是恐懼，它就越是囂張。
3. 在駛到荒山野嶺時，如果見到有人向你招手，千萬不要停車，因為你根本不會知道，那究竟是「人」，還是「鬼」！

9. 擺放鏡子禁忌

我們會經常使用鏡來整理儀容，但原來在中國傳統中，鏡乃不祥之物，因為鏡是一件十分陰寒的物件，在風水學的角度來看，鏡更有一種肅殺之氣，容易與人的氣數相沖。

亂咁擺鏡害死你

有一個古老傳說，人們認為鏡可以吸走人的靈魂，如果你不小心打爛鏡，那麼你便會走失部分靈魂而行足 7 年霉運！因此，我們有時可以見到，如果有一家人家有白事的話，他們便會用布覆蓋全屋鏡和反光平面，令過身者的靈魂可以自由走動，而不會被吸入鏡中。

大家要小心遵守擺放鏡子的禁忌，以免犯禁遭受橫禍！

1. 鏡忌照床

人在睡覺時，是最放鬆、最沒有戒心的時候，如果半夜起來被鏡中的自己影像所嚇到，會傷到元神的！另外，鏡子照床也容易讓夫婦翻臉，助長另一半有外遇的可能性。

2. 鏡忌照房門

鏡子不能對著房間門，因為鏡有鏡神，每個門也有所屬的門神，所以如果鏡子對著門，這會嚇走平日保護我們的門神。

3. 鏡忌照大門

大門的正前方，千萬不可放鏡子，這會讓門神和財神一起被鏡神嚇跑，是阻擋財神之意。如果是做生意的，則會入不敷支。

4. 鏡照爐灶

這種情況會產生鏡神和灶神對沖，容易讓家中的成員身體出現病痛，女性易有婦女病，男性則較暴躁，常無緣無故發脾氣。

5. 鏡忌照神明

鏡子如對正神枱，不僅對神明大不敬，還會造成沖煞，讓原本駐守在家中保佑你們的神明，因鏡子產生的煞氣而急急離開。

6. 鏡忌照書桌

鏡子容易讓書房內讀書的人分心，另外，主宰文昌的文昌帝君也不喜歡小孩一邊看鏡子一邊讀書。

7. 財位忌放鏡子

客廳內財位不可擺鏡子，以免財神因鏡神而被反射彈開。一般來說，客廳的財位是大門進來的左右對角處。另外，鏡子也最好也不要嵌在客廳的天花板上，因為這會讓坐在客廳的人耗氣、耗財。

8. 忌照廁所門

鏡子面對廁所門，會讓夫婦在處理事情時鑽牛角尖，並且讓家中的男性性功能減弱，女性則易有婦女病。

行業禁忌

72 行，行行有禁忌！很多初入行的新丁唔識死，竟然以身試鬼，這如同玩命！

1. 粵劇藝人的禁忌

所謂「行有行規」，從事不同的行業，都有所需遵守的規矩及守則。各行各業都有各自的禁忌，偶一疏忽，隨時中招！以戲班為例，戲班中人要上位，除了功架了得之外，還要牢記戲班裡的規矩，犯上任何一條禁忌，都可能為自己甚至整個劇團招惹大禍！

粵劇新仔害死人

這是一個戲班界裡一直謠傳的傳說：

曾經有一個剛進戲班的年輕人，對戲班的所有規距不知就裡，而且剛入行自然不能避免一定會犯錯，於是被班主日鬧夜鬧，那人被鬧得怕了，做所有事情都小心翼翼，果然班主就鬧少了。

怎知道一次，他在收拾行裝時不小心把翌日要用的網

巾弄髒了！為怕被班主知道，於是他把網巾偷偷拿到河裡清洗乾淨，之後將網巾掠起來陰乾。趁班主和其他前輩未出發，他又偷偷走入工具室把那網巾收起來，當做甚麼都沒有發生過。正當他以為瞞天過海無人得知時，正在進行公演的戲台上竟然發生了悲痛的慘劇！

本應在該場扮演公主的花旦，竟然真的在後台自殺了！她甚至還用網巾來上吊！事件引致極大的騷動，最後班主一查便得那年輕人曾經拿過網巾去洗！網巾是用來勒頭的，洗網巾即表示有告別之意！那年輕人就是因為不知規距，竟然把花旦的性命給送了！

這件事情在戲班中流傳得非常廣，自此老一輩的人都會對所有新入行的新人講清楚所有規矩，以免同樣的事情再次發生。

劇團的禁忌可分為「不可說」、「不可食」及「不可做」三大類。

《一》不可「說」之禁忌

1. 不可說「蛇」

戲班經常四處奔波演戲，演員擔心說「蛇」字就真的有蛇出現，所以會把「蛇」字改稱為「溜」。有傳聞戲神曾被巨蛇所困，所以「蛇」是禁忌，不能說！又傳，若演出當日真的看見蛇，或有人不慎說出「蛇」字，必有打架鬧事、道具或樂器損壞之事發生。

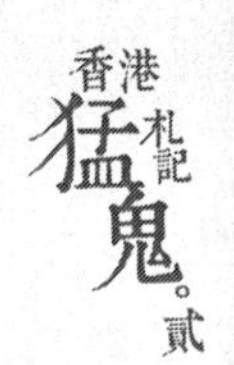

2. 不可說「狗」

傳說「西秦王爺」因唱戲而倒嗓，某次聽到狗吠聲，因而體驗出發聲方法，演員於是將狗奉若神明，稱為「將軍爺」。又據說「金雞、玉犬」均為「田都元帥」之朋友，「田都元帥」得道之後，雞犬也隨之成為陪祀的神明，演員為表敬意，都會將「狗」改稱「幼毛」。

《二》不可「食」之禁忌

1. 不可食用螃蟹

傳說「田都元帥」原為棄嬰，幸得螃蟹餵養成人，戲班為感念螃蟹，即禁止食用螃蟹。

2. 不可食用豬舌

豬的舌頭特別大，演員恐怕食後舌頭會變大，造成口吃，影響演出的水準。

3. 不接受宴請

演員很愛惜自己的嗓子，生冷、辛辣及燥熱食物均少吃，表演前更不會接受宴請，以免吃得太飽太膩。

《三》不可「做」之禁忌

1. 不可帶狗上戲台，因狗會爭鬥，有不和之兆。
2. 不可踢倒鼓架，否則會「散股」，表示劇團將解散；也不可躺在戲箱上，否則會「倒團」，同樣有解散的意味。
3. 如果沒有演出，不可隨便擊鼓，據說如果沒有演出都無

端擊鼓，將對劇團不利。

4. 女性不得坐在放置頭盔的戲箱上，民間認為女性「不潔」，如果女性坐在放置頭盔的戲箱上，會令劇團行衰運。
5. 頭鼓手的座椅不可擅坐，頭鼓手是後場指揮，為表示對後場指揮的尊重，其座位不可擅坐。
6. 不可擅用青龍偃月刀，青龍偃月刀是關公專屬的兵器，一般戲碼和其他腳色，不可擅用該兵器。
7. 演員戴加冠面具代表神明，戴了加冠面具後不得講話。
8. 戲班將道具娃娃稱為「太子爺」，很神聖，不得任意玩弄。
9. 不可在戲班裡吹口哨，供奉西秦王爺的戲團有此禁忌，因吹口哨 如召喚狗，對將軍爺不敬。
10. 禁洗網巾，因網巾是用作勒頭之用，如果洗了則有告別的不祥意思。
11. 演關帝之小生在演出前要拜祭戲神，以免被神靈附身。
12. 在後台時不得隨意說話，否則會褻瀆神明。
13. 演員若扮演神明，必須在臉部畫一破綻，表示非正神，如扮演「關公」者，通常會點一顆痣，以免神靈附身。
14. 遇到建醮，主棚演出北管戲曲時，舞台上清一色由男性扮演，女性一律不可上舞台，以免觸犯神明等。
15. 飾演關公之演員須先向戲神稟告。因演員扮演神明，恐褻瀆神靈，因此要先向戲神告知，以免關公之神靈附身。

2. 按摩技師踩背有禁忌

通常做偏門行業的人大多會供奉神明以求庇祐，因此相應來說亦會產生很多禁忌，一旦犯禁，隨時惹禍上身！

亂咁踩背把命送

按摩技師是偏門行業的其中一種，絕大部分按摩技師都是女性，而女性按摩技師多信奉觀音，男性技師則多信奉關公，所以按摩技師們通常不會和背部有神明紋身的人踩背，試問平時一直保佑自己的神明，又怎可能踩得落去呢？

另外，按摩技師亦不會和孕婦踩背，尤其是那些懷孕初期未見肚之婦女，怕影響腹中胎兒之餘，亦怕會得罪有關神靈。

不要不信，曾經有個按摩技師阿紅，就是因為不小心觸犯了禁忌，結果頭頭碰著黑，最後更連份工都無埋！

話說一日，阿紅照常幫客人踩背，但接了其中一個客時，阿紅發現對方背部紋了鍾馗這個驅鬼神，便用不太流利的廣東話跟對方說：「先生，唔好意思啊，我哋呢度唔可以幫背脊有神明紋身嘅客人踩背㗎……」

但對方聽後非常不悅，更聲色俱厲地呼喝她，叫她立即踩背。阿紅拗不過，只得就範，小心翼翼地幫他踩背。

怎知道，這一踩就出事了！做開偏門行業，風險自然更加多，阿紅不僅因客人被仇家尋仇時斬傷，更試過被客人強姦！自此以後，按摩店老闆覺得她陀衰家，最後更將她解僱，阿紅連份工都無埋！

3. 紋身師傅的禁忌

紋身這門藝術在中國已有幾千年歷史，其中最出名的，當然是由岳母在岳飛背後所紋的「精忠報國」四字。

做紋身師傅前要齋戒

在現今的社會，紋身已成為潮流的象徵，但不說不知道，紋身師傅要守許多禁忌的：

1. 紋身用的工具，一般都被認為附有靈氣，所以不能隨便擺放，亦不能被拍攝。
2. 大部分紋身師傅都會參拜神靈，他們都戒食牛肉的。
3. 對拜師學習紋身的人來說，在滿師之後、正式成為紋身師傅之前，都需要齋戒七七四十九日來培養一個「元靈」，然後才可正式成為一個紋身技師，在齋戒期間不能嫖、賭、飲、蕩、吹，否則除會招惹邪靈外，也會出現手震的毛病而導致無法紋身的惡果！

你想紋身？小心啲好！

紋身師傅有禁忌，但如果大家想紋身，也一樣有很多禁忌要遵守，不然招致損失的時候後悔就太遲了！

曾經，有一位男人於多年前紋了一觀音像在背部，但後來因為貪玩，就找紋身師傅紋了一個裸體女郎在觀音像下方，挑逗性地向觀音望上去。

朋友知道後都勸他不要這樣做，但他還鬧著玩，以為

沒有甚麼大不了。一天，男人到酒樓飲茶時被人不小心用滾水灼傷了背部，剛好是那裸體女郎的位置灼傷得最嚴重，皮也脫了，但觀音像的位置則完全沒事。

不論事件是巧合還是真有懲罰，都提醒了大家紋神像要持尊敬認真之心。

1. 紋佛像或耶穌像不能鬧著玩

如果大家想在身上紋佛像，要抱持認真的態度，絕不能抱著玩的心態，不然很容易會惹禍上身！

2. 紋身圖案要夾生肖和命格

紋身的圖案不可與本身生肖相沖，否則會招來惡運！另外，又要夾命格，例如春天出生的人，不宜紋上尖形圖案，如劍和三角等，否則易招血光和口舌，或被人惡意中傷！秋天出生，不宜紋波浪，蛇形等彎曲圖案，否則易招災難、損傷，甚至交通意外！

3. 紋身圖案千萬不要開眼

如果你選擇紋骷髏頭、龍、神明等，千萬不要紋開眼的，因為這些圖案一旦開眼便有靈性，如果你的八字及命格受不起，那麼你的運氣便會因為這些紋身而越來越差，輕則受傷，重則喪命！

另外如果要紋龍的話，最好只紋四爪，因為五爪的龍代表皇帝，殺氣非常大，如果你想紋五爪的龍，除非是皇帝啦！

4. 慎選紋身位置

紋身的部位越接近性別特徵，作用越大，大多只有妓女才紋這種紋身！

- 紋腰：損挑花，不利婚姻和夫婦感情，中年運反覆。
- 紋肚：損子女緣份，對晚年運不利。
- 紋胸：增加異性緣，但對社交運有不良影響，容易被小人中傷，招惹是非，損害名譽。
- 紋背：有損事業運。
- 紋手肩腳：對兄弟感情有損，難結交良友，紋身越接近手掌，越對近親兄弟有影響。
- 紋頸：在身體任何部位紋身皆不利父母，但以紋在面和頸最嚴重，同時亦影響與長輩和上司的緣份。

想死就去玩「巫術紋身」！

大家有聽過「巫術紋身」嗎？「巫術紋身」源自暹羅的婆羅門教，在泰國大盛，有人藉此辟邪擋煞及招財改運，但巫術紋身比養鬼仔更為危險，若遇上邪靈會纏足一世，所以不要亂試。
「巫術紋身」與傳統紋身有很大分別，巫術紋身要用特別泰國經文，再加降頭油開光，令經文入身護體，因此最重要並非圖案本身，而是開光儀式。「巫術紋身」的神佛圖形有高低層次之分，要看當事人是否有資格承受，若越級挑戰，隨時會駕馭不住而遭反噬。其實，「巫術紋身」比養鬼仔更為危險，因為邪靈會纏足一世。如果紋身無靈界力量存在，當然無問題，但若真係經過開光施降，一旦當事人被靈界騷擾，想擺脫就要除去紋身圖案，否則好難斷尾。紋身並非身外物，唔可以話唔要就唔要，清除紋身的過程會相當痛苦。所以「巫術紋身」實在不應亂試。

4. 性工作者的禁忌

做偏門行業的人通常都有不同的「行規」，例如性工作者，她們同樣有一些禁忌是不可觸犯，一旦觸犯重則不死即傷，輕則頭頭碰著黑，非常邪門！不信？那你有沒有聽過性工作者遇害的新聞？有可能是因為犯下行業的禁忌，才會慘遭橫禍！

性工作者阿鳳就是不小心犯下禁忌，有一日早上不小心吃了雞蛋，結果不僅被客人動粗，甚至被一個客人「又食又拎」，劫走身上的珠寶和錢財。阿鳳說：「之前有單鳳姐劫殺案，聽講個同行就係因為拜神時將雞斬件，所以先俾人殺害！真係無陰公呀！」

性工作者犯禁真係咁邪？立即看還有甚麼不可不知的禁忌！

1. 忌把雞斬件

對於性工作者來說，有不少禁忌，其中一項禁忌便是拜神時所用的雞隻一定要全隻上。社會上，有些人稱呼性工作者做妓女，有些人會粗俗些，甚至用「雞」來形容她們。唔怕一萬最怕萬一，她們在拜神時，都不會把雞斬件上，以免暗喻自己斷手斷腳又無頭。

2. 忌吃雞蛋

另外，她們早上忌吃雞蛋，怕取其吃了就完蛋的意思。而且若當天開工時，被第一個客人動粗，那天她們就會休

息，除了因為受傷要休息外，頭一單生意就觸礁實在很不吉利。

3. 忌借唇膏

還有，在夜總會工作的舞小姐，也不會借唇膏給別人，因為當紅的舞小姐會被稱為「紅牌阿姑」，而唇膏又叫做口紅，試問又有邊個願意借「紅」（即自己的好運）給別人呢？

5. 棺材佬的禁忌

在棺材舖裡賣棺材的人或四處為棺材舖找生意的營業員，我們都會俗稱他們為「棺材佬」。棺材佬因為職業緣故，要接觸很多屍體，經常會沾惹很多屍氣，如果不小心觸犯禁忌，隨時惹禍上身，甚至被靈體當成同類，拉埋你落去！

做得呢行就要信邪！

棺材佬有一個行規，就是忌在出葬抬棺時說「重」！

曾經有一個剛入職棺材佬的年輕人，第一次跟師傅出葬，他幫手抬棺時不知忌諱，竟然一邊行一邊說「重」！結果他們越行，棺材竟然變得越來越重！棺材最後重得4個人才抬不起，最後要師傅出手，叫那年輕人對遺體道歉，棺材才變回原本重量。

這個只是棺材佬禁忌的其中一個，以下會為你講解更多棺材佬不得觸犯的禁忌！

1. 兇神惡煞的樣貌最吃香

據說，要勝任「棺材佬」一職，首先要看起來像兇神惡煞，特別是眼神尖銳鋒利，眼眉毛粗糙又削尖，整副嘴臉具有一種能發出肅殺的氣勢。長得一臉煞氣，連孤魂野鬼都會退避三舍。

2. 忌戴帽及前額留蔭

在具備以上天生的樣貌後，棺材佬最好把他們的頭髮

修剪成光頭或「四方頭」，而且不能戴帽子，所以棺材佬中十居其九都是光頭的。據說此髮型有「擋煞」的力量，因為沒有被髮絲遮掩的額頭和印堂會發亮，避免受到煞星侵犯。有資深「棺材佬」憶述，曾有一個職員經常戴鴨舌帽出入醫院的停屍房，他曾勸阻但對方不理會，結果有一天對方聲稱見鬼而嚇得魂飛魄散，隔天病倒後便不再上班，後來聽說這位青年最後遭遇離奇車禍喪命了。

3. 忌長時間留在棺材舖

棺材佬也要避免長時間在醫院停屍房及棺材舖逗留或睡覺，不然長期吸收「屍氣」，會使人精神不振，而產生面青唇白的「殭屍樣」。

4. 忌死纏爛打

根據一般傳統的做法，當病者去世後，原本在醫院等生意的棺材舖營業員便會悄悄地離開，改由另一位同事來接班，然後跟家屬討論死者的葬事，以一個新臉孔來做成生意，避免給家屬死纏爛打的感覺。

5. 忌找年輕喃嘸佬

據說，曾有一個 20 餘歲的女子病死，死者家屬請來一位道行尚淺的年輕的「喃嘸佬」為死者超渡。當幾位「棺材佬」為死者穿衣褲入棺時，正在唸經上香的「喃嘸佬」像是被死者的冤魂附身，突然語無倫次，精神恍惚，把眾人嚇壞。

後來其中一人找來了一位「拜神婆」替「喃嘸佬」驅魔，

才化解了一場危機。有經驗的道士（喃嘸佬）定力夠，不會被「骯髒」的東西附身。

6. 忌弄傷屍體

棺材佬有時要替遺體穿衣褲（壽衣），但由於遺體變得僵硬，所以要對遺體說：「我來幫你穿衣，幫你扮靚靚，你要放鬆一點」。通常這句話說完後遺體就會全身鬆軟下來。

7. 忌說屍體很重

有些話是棺材佬嚴禁說出口的，就算是發自內心的想法也不可以說出來。例如在抬屍的過程中，就算遺體很重，也不能說「嘩，好重啊」，否則會「觸怒」遺體而變得更重。

8. 忌向人派卡片

棺材佬向你派發他的職業名片，你敢不敢收？大多數人都不會收下棺材佬的名片，但目前已改善很多，使他們敢在特定的情況下派名片推銷生意。

據了解，由於職業過於敏感，除了與葬禮或死亡有關的行業人士，還有報社的意外組記者之外，棺材佬一般上都不會隨便向人派發名片，而對方也不會禮尚往來呈上本身的名片。

9. 佳節忌派利是

據說，每逢農曆新年人人普天同慶的時候，唯獨棺材佬最寂寞難耐，如果去派紅包，又擔心別人會避忌，只好與同行一起慶祝。

喪禮全程禁忌大全

在香港，如果沒有宗教信仰，喪禮一般都會以混集儒、道、釋三家儀式的民間習俗進行。當中存有不少禁忌，姑勿論你信與不信，為了表示對死者的尊重，最好寧可信其有不可信其無吧！

1. 忌與死者生辰八字相剋

由於子午相沖，如果死者是子年出生的，那麼不論死者的親朋或好友，凡是午年出生的人，都不能參加送葬禮式。此外，孕婦、嬰兒一律禁忌送葬，恐怕沾染到不祥之氣。

2. 忌與死者生肖相剋

在喪禮上，通常會貼有一張告示牌，說明有哪些生肖是與死者的生肖相沖剋，必須迴避。有的還會在靈堂裡放一盆水，給來參加喪禮的來賓洗滌，以去除不祥之氣。

3. 忌入殮時啼哭，將眼淚滴在死者身上

在舉行入殮儀式時，死者的親友應當保持冷靜。忌諱有人啼哭，否則會使死者不忍離去，其魂魄將無法升天，而滯留陽間。若因啼哭而不小心將眼淚滴在死者身上，死者便會留戀人間，不能轉世超生。

4. 忌七月時出葬

七月被一般民間視為鬼月，此時陰間的鬼門大開，

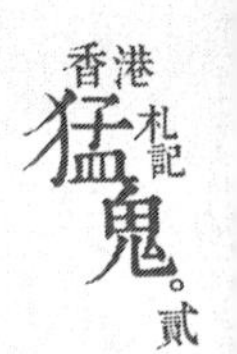

許多鬼魂被流放到陽間來。若於七月出葬，可能會招引更多的鬼魂出現，對喪家不利。

5. 忌守喪期間剪髮或剃鬍鬚

根據民間的習俗，家有喪事期間，親人不能剪髮及剃鬍鬚。一般人認為這是為了表示極度哀傷悲痛，以致於無法顧及儀容。其實此舉另有用意，以不修邊幅的模樣，使自己跟平常看起來不一樣，讓亡靈鬼魂認不出來，以免受到侵擾。

6. 忌出葬時抬棺者說「重」字

在出殯時，抬棺者應保持肅靜，忌說「重」這個字。若不小心脫口而出，可能會生出變故，如棺柩更重而更加抬不動，或是期間抬捍斷裂導致棺木掉落地上。

7. 忌帶孝者觀看建廟、婚嫁，或接觸產婦及嬰兒

帶孝者身上會帶有不祥之氣，所以凡是與祭祠及喜慶有關的場合，如建廟、安灶，或是婚禮、喜宴，都應避免參加。否則在帶孝者的凶氣感染之下，將導致建廟不靈，或新婚夫妻感情不睦。若帶孝者接觸到產婦或嬰兒，將使產婦難產，甚至嬰兒夭折！

出殯當日切勿胡言亂語，要不然得罪了靈體自討苦吃！話說，有一位好事之徒喜歡胡言亂語。某日他參加了一位朋友親人的喪禮。也許老毛病又發作，口癢地胡亂抨擊躺在棺木中的死者。他帶著開玩笑的語氣說死者

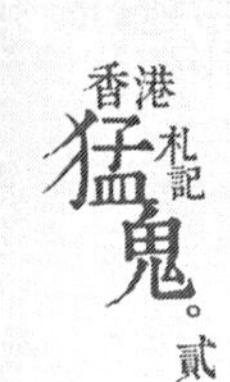

的化妝很差，到處一堆黑印，而且還大談死者的臉色極度蒼白，人人看了就知道他是患絕症而死（那位死者的確死於癌症）。

所謂無巧不成書，事後的幾天，好事者的頭上無端長出一塊塊黑印，而且頭髮有點脫落的現象，情形就如死者出殯當日的模樣！不管他到何處醫治，中西醫也全都試盡，總是無法將這個病症醫好。他的健康每況越下，黑印處也開始腐爛，眼見坐以待斃，家人也為他準備身後事。

或許是他前世的造化，某日一位來自泰國的和尚路經他的屋子化緣，並道出他家中有人得罪了鬼魂而遭受纏擾。老和尚從他的麻袋拿了一瓶葯膏給那位好事者的家人，並叮囑家人每晚依照吩咐將葯膏塗擦好事者的身體患處，若有見效便到某寺與他相見。

大家半信半疑地將葯膏接下，並給了些許錢將和尚打發離開。說也奇怪，用了和尚的葯後，不出半日，腐爛的皮膚有點痊癒的跡象。家人見了不禁狂喜，於是立刻跑到和尚所指的廟寺與他會面。

和尚慈悲為懷，為那位得罪鬼魂的好事之徒做了一場法事。從那一刻起，好事之徒的怪病不醫自癒。從那天開始，他洗心革面，不敢再口出狂言，以免再次禍從口出。

喪禮還有眾多禁忌：

1. 不要說多謝，只說有心

對死者家屬來說，會很感激專誠來弔唁的有心人，不過，千萬不要對他們說「多謝」，應用「有心」代替，離開時也不要送客。因為辦喪事不是件好事，說「多謝」會不吉利，而且從殯儀館內送走的都不是活人，送客等同詛咒他們。當賓客要走的時候，禮貌上說句拜拜，讓他們自己離開即可。

2. 吉儀要即棄，勿帶回家

吉儀是一個白色的直度信封，中間有一道紅條，上面以藍色字寫著「吉儀」，內裡有一條白色毛巾、一粒糖和一枚一元硬幣，用來答謝來弔唁的親友。

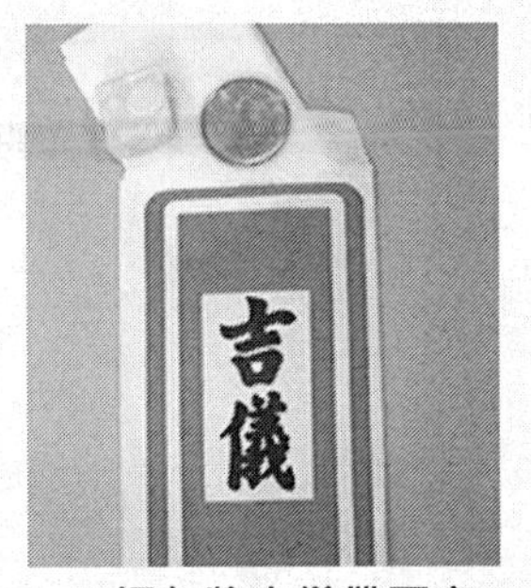

↑切勿將吉儀帶回家

白色毛巾的用途是給來賓抹眼淚的，不過現時多會用紙巾來代替。而那粒糖的用意，則是借甜味來給喪禮參加者減少哀痛和傷感，要於當日內吃下，如不愛吃甜的人可輕輕舔一口才丟棄。至於那一元硬幣則是用作帛金的回禮，必須在當日用掉，不得帶回家，否則會帶來霉氣和惡運。

3. 帛金「尾數 1 元」的傳統

喪禮時送上帛金的金額，通常是在整數以外加上零丁的一元，以 1 作結，例如 101 元，這與中國人的「長

長久久」觀念有關。

按照中國傳統習俗，親友參加喪禮都會收到由死者家屬送出、內含一元硬幣及糖果的吉儀。一旦親友送出的帛金是整數，扣除吉儀內的一元，尾數便為九，導致喪事「長長久久」不吉利之意。因此，便要特別在帛金內加入一元，以便扣除吉儀內的一元後，不會以九字作結。此外尾數一元也可取其單數，免得「壞事成雙」。避免偶數是因為「雙」與「傷」是諧音，有「傷心」的意思。

尾數一元也可能是取其廣東話的諧音，「一單過」即沒有下次的意思。也有說法是取其普通話「一」的偕音，與「依靠」的「依」相似，喻意使傷心的親友有所依靠。

4. 喪禮吃牛肉，會開罪鬼差

出席喪禮的各人當天應齋戒沐浴，除了以表示尊重死者外，食素能減輕死者的罪孽及痛苦。若吃葷，也切忌吃牛肉。因為地府的鬼差都是牛頭馬面，吃牛肉等同吃其同類，會惹怒他們，總要給他們留面子，他們才不會難為死者。

5. 指路燈不滅，為死者引路

在守夜當晚，披麻戴孝的直系親屬會在靈堂守夜，並輪流為死者化寶。而當死者的遺體入後堂後，便會由他們在遺體旁點起指路靈燈。這盞燈是很重要的，因為它會為死者引路，所以不能熄滅，否則死者會在陰間迷途，導致不能順利投胎。

6. 瞻仰遺容時，勿抱屍哭棺

在蓋棺前會有瞻仰遺容的儀式，好讓死者的親人和朋友見其最後一面。有些人因接受不了這個傷痛的一刻，會緊抱屍體不放，或對著棺材嚎哭。但表現得太傷心，或在死者身上留下眼淚，會令死者捨不得他們，並產生留戀陽間之意，直接影響他走往輪迴之路，所以為死者著想，節哀順便吧！

7. 紅紙包遺照，封存一百日

在喪禮當日，拿車頭相的通常會是死者的長子嫡孫，而扶靈者可以是其生前好友。在儀式完畢後，車頭相可隨死者一同火化，亦可由親屬用紅紙包著拿回家，由死者離世後起計的一百日後，便可撕掉紅紙，供奉在家。

↑遺照一般會用紅紙包封存

6. 記者採訪禁忌

不要以為記者這些跑新聞的職業沒有禁忌！在前線採訪的記者原來有很多禁忌要遵守，他們都相信犯禁會為自己及採訪隊帶來不幸！其實，我們時常都會聽聞記者在採訪時不幸碰上靈異現象。

唔到你唔信！死者不想上鏡！

據聞，一位攝影記者在跳樓現場，打算拿攝影機拍攝時，鏡頭竟然立即出現雜訊，記者原以為是機器故障，但之後救護員趕到為死者蓋上白布後，攝影機又立即恢復可以拍攝！有前輩指，因為當時死者還未蓋上白布，或許死者並不希望別人看到她不完美的樣子，因此才阻礙攝影記者拍攝。

記者忌拍攝死者樣貌之外，還有 8 大禁忌必定要遵守，不遵守的話，小心被靈體死纏不放！記者採訪必守禁忌：

1. 在現場不要拿死者的東西

一般記者都渴望取得獨家新聞，但在搜集資料時切勿越軌，如未經許可取走死者的東西等。當然，警察拿走證物用來辦案不算在內。如果記者手多多帶走死者的東西，可能惹起靈體震怒，還會死纏著他非物歸原主不可……

2. 意外現場勿亂說話

通常死於意外的人都血跡斑斑，面目全非，記者去到意外現場採訪，千祈不要衝口而出說「好核突呀！」，此

舉對死者是大不敬；又千萬不要說「咁年輕就死了真可惜」之類的說話，若死者是未婚的，它隨時會跟住你……

3. 帶吉的利是封

如果記者要到災難或命案現場採訪，最好帶個吉的利是封，採訪完把利是封放在公司不帶回家，用以辟邪。

4. 與死者同性易上身

與死者同性的人會較容易被上身，如果死者是位女性，採訪的女記者就要格外留意。

5. 忌直接叫死者名字

另外，到現場採訪很忌諱直接叫死者名字，或說「好可憐」之類的同情話語，因為死者若有冤屈，很可能會請其「幫忙」。

6. 忌站在床尾

此外，到病床採訪時，切記不要站在床尾旁邊，那是鬼魂容易上身之處，試過有記者就曾因此被鬼壓了一星期。

7. 隨時準備沉色外套

其實，記者最好在辦公室準備一件黑色、白色或灰色的外套，因為隨時可能採訪災難或兇殺新聞，衣著非常重要，以示對死者和家屬的尊重。

8. 千萬不要叫名字

在意外現場，記者們盡量不要叫其他人的名字，萬一死者聽到可能會跟著他 / 她……

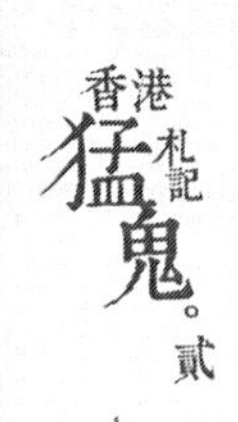

7. 行船的禁忌

早期的香港是以漁業起家，大多以漁業為生的人都會居住在漁船中，因為靠水吃水，行船因而產生了許多不得打破的禁忌！

在 8、90 年代，內地有很多偷渡客前來香港搵生計，其中因偷渡時攀山涉水、體力透支、饑渴交迫而死的人不計其數。老一輩行船的人曾經在行船途中見識過，在海中漂浮著無數死屍的情景！雖然他們深知行船時遇見屍體時要打撈上來的禁忌，但因為死屍太多，他們只得為亡魂上香及化寶，然後通知水警處理了事。

可是，如果他們只是遇到一、兩具屍體時，通常都會把屍體打撈上岸後埋葬或通報相關單位，以免犯禁！曾經有人就是對海中浮屍不聞不問，結果被冤魂纏身！

大海無情，小心駛得萬年船！

行船的人因大海變幻莫測，因此有很多禁忌必須要遵守，不然一個不小心觸怒了神靈，隨時整架船都會被大海吞噬！想知道行船還有甚麼禁忌？我們立即去片！

1. 忌「翻」魚

漁民吃魚時忌把整條魚「翻」轉過來，因為漁家人常在海中作業，最擔心的就是翻船，因此在吃飯時，也忌「翻」魚。

2. 禁女人上漁船

漁家忌女人上漁船，他們認為女人上船出海幫不到甚麼，不但搬不動漁網，多了雙筷子吃飯，使原本狹小的漁船空間變得更加狹窄，若是夫妻同船，還得準備夫妻房。再者，漁船一出海就是 10 天至半個月後才回來，漁船上多了個女生，單是在解決衛生問題方面就已經很不方便。

3. 忌說「掉」和「倒」

漁家人在丟棄吃剩的食物時，不可說「掉」；當船靠岸時，不准說「到了」，原因是怕船真的「倒」了。

4. 忌把碗筷丟入海中

漁夫在船上用餐時，禁止把碗筷丟入海中，因為對漁家來說，隨手把飯碗丟進海中，即意味著瞧不起漁家這個行業。

5. 要善待屍體

在海上行船或作業時，若遇到漂浮的屍體，也切忌不理睬，必須把屍體打撈上岸後埋葬或通報相關單位，因為怕幽靈埋怨漁民不肯協助它們入土為安而蓄意騷擾。

6. 要善待人或動物骨頭

捕魚時撈到人或動物骨頭，切忌丟回大海，要拾上岸，放在廟內。

7. 嚴選婚宴賓客

漁民家中有人逝世，切忌到別人家去及不宜出外探親。

家有喪事的人，也不可參加喜事。若是家中有人生孩子，下海時要在神像前燒金紙和香燭。如果家中有喪事的人，上船則須燒金紙和香燭。

8. 忌女人走上船頭

船家忌諱女人走上船頭，外人腳不洗淨，也不可踏上船頭。

9. 忌坐船時兩腳向外蕩

坐上漁船時，不能兩腳懸空，傳說把腳向外蕩著，會招惹到水鬼，把你拖下海。

10. 忌說錯話

漁家說話最避忌用「翻」、「破」、「碎」、「遠」、「扣」、「完了」等字眼。漁家稱帆為「篷」，帆船稱「風船」、翻過來為「劃過來」、破了或碎了稱為「笑了」和「掙了」、完了稱為「滿了」。鹽不稱鹽，而稱「騷」，意在怕船被「淹」了。

11. 忌隨地大小便

漁民忌光身睡覺和隨地大小便，以免冒犯神靈。

12. 忌八仙過海

忌七男一女共乘一船出海。七男一女類似「八仙過海」，恐惹惱龍王造成翻船。

13. 忌吹口哨

忌在船上吹口哨，吹口哨能招來颶風和鯨魚襲擊。

14. 忌打海鳥

上船不得打海鳥，據說這是早年傳下來的規矩。漁家只捕海裡游的東西，不能打天上飛的，因為海鳥救過很多迷航人的命。

15. 忌帶蛇上船

不能帶蛇類上船。有說蛇類過海，會變成惡龍，殘害生靈。誰犯禁，輕者會被趕下船，重者將遭到毒毆一番。

8. 警察禁忌

警察服務市民，破案捉賊，才能維繫社會秩序。香港的治安比起外國更要安全得多，全賴警察盡忠職守。但原來，香港的警察們破案的關鍵緣於有關二哥保祐！

邪不能勝正，關二哥保佑！

警察執行任務前，多數會拜過關二哥，才能保祐警隊成隊人在案件中能破案之餘，更能全身而退，毫髮無損，這是警隊內一直傳承的傳統，一旦犯禁，隨時害死全 Team 人！

想入職警察的人要留意了，看完以下禁忌，包你能屢破奇案之餘，更能自保！

1. 關帝一定必拜

大家在警匪劇集中時會看見 CID 警員拜關帝的情節，而事實上，香港警署之內大多有供奉關公，而黃大仙區警署另加供奉黃大仙呢！警隊在重要行動之前，多會拜祭關公以求平安。為甚麼警員那麼信奉關公？估計原因是一身正氣的關公象徵著扶正除邪，與警員維持社會秩序的職責有相輔相承的作用；此外，警員內部需要團結，關公身上正好具備這樣的品質。

不過，近年警隊高層有意淡化這種文化，新警政大樓搬遷過程中一直未有根據過往傳統舉行「拜關二哥」儀式，新大樓的裝潢是以超高科技設計為主，據知，警隊為配合設計，大樓內都沒有任何一層設有關帝像供同僚參拜。

但拜關帝不僅是一種傳統，更演變成一種心理上的慰藉及上司與下屬之間一條溝通的橋樑。香港警員拜關二哥，其實寄託了扶正除邪和精誠團結的職業理想。其次是警員工作性質危險，自然希望祈求得到神靈的保祐。要警員放棄拜關帝，放棄這份心理上的支持，相信還需要時間適應。

雖然關帝難以在香港警署立足，但在外國卻有另一片天地！據知，香港回歸前後，很多香港移民通過英聯邦的考試進入英國和加拿大的警察局，兩國很多警察局裡都擺上了關公像，這些警員更將破案成功的原因歸功於拜關公的結果，讓關公信仰在海外生根發芽。

2. 警帽擋煞照哂照

在劇集或電影裡，大家有沒有見過警員捉賊時一邊跑一邊要用手扶著頂警帽？除了避免身體的大動作令警帽飛脫外，原來箇中是有玄機的！

據聞，帽頂上的頂花有殺氣，無鬼夠膽埋身，即使夜晚巡邏，或出入兇案現象，也不怕招惹惡靈。

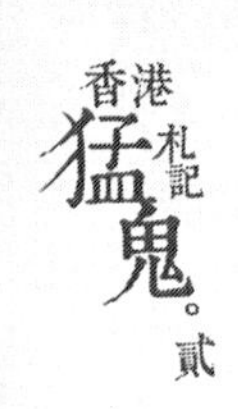

9. 藝人的禁忌

演藝圈中流傳著許多習俗與禁忌，這些習俗和禁忌往往關乎一套作品的成敗，或藝人的運氣盛衰，所以長久以來，圈中人對此都甚為重視。

曾經有女藝人接了一套鬼片，需要扮演死人，甚至要被推入停屍間，但拍完後竟然忘記收利是來沖喜，最後慘被靈體附身，大病了一場，找了無數醫生也醫治不好，幸好最後得大師指點才病癒，重投入演藝圈。

演藝圈中對行規都極為重視，不知忌諱的新人如果犯禁，那你在演藝的生涯亦將完結了！

1. 開鏡拜神不可少

在開鏡禮上燒香拜神切燒豬，基本上是電影開拍前的指定動作。開鏡儀式上，通常老闆、導演、演員及幕後工作人員都會齊集燒香拜神，祈求拍攝期間風調雨順、人人精神爽利。他們會合力把燒豬一刀由頭切到尾，示意好頭好尾，順順利利。所以無論出席開鏡儀式的人是來自甚麼國家、有甚麼宗教信仰，他們在香港拍電影時都會入鄉隨俗，以求安心。

以早年最賣座的電影《無間道》系列為例，電影公司老闆非常重視開鏡儀式，不但邀請白龍王來港主持《無間道》及《無間道 III》的開鏡禮，更特別為開鏡的日子擇定良辰吉日，就算《無間道 III》開鏡當天颱風襲港都如期舉行。此外，《無間道 II》因為要在泰國拍攝外景，故幕前幕後一行三十人，齊齊親身到泰國拜會白龍王，並將開鏡儀式移師當地舉行，由此得知開鏡禮對電影人來說是多麼重要！

2. 拍危險鏡頭前必上香

某些電影在開鏡拜神後，每天開工前還會先上香。在拍攝某些危險鏡頭前，也會再上香。聽說周潤發拍西片時仍是每天上香。雖然無人知道到底上了香是否可保證拍攝工作必定順利和安全，但每當遇到無法解釋的困難時，藝人還是會視上香為其中一個解決問題的方法。

有傳，工作人員正在忙於拍攝時，一輛道具軍車的後輪卻陷進泥堆中，不能開動，他們動用接近一百人也未能把它推上來，那時候，製片拿來一些燃著的香，派給各工作人員。各人上過香後，司機才再次走上車，把引擎開動，不消一會，車子輕易駛離泥堆。

3. 誠心上香免拍攝遇阻滯

又傳聞，有導演拍攝一個鏡頭時，每當攝影機移到某一個位置時都會自動關機。攝影組的同事多番檢查，還是找不到因由來，於是只好齊心上香。最後，攝影機竟然回復正常！

4. 最忌改錯戲名

很多中國人對堪輿、術數、風水等深信不疑，特別是從事「偏門」的電影人，對改戲名、到甚麼地方取景等都很考究。據知，《無間道》原名為《無間行者》，但後來聽從高人指點，將戲名改為《無間道》，最後電影大收特收。同時更獲獎無數，而隨後的《無間道》前傳及第三集，亦按照高人指示，分別改名為《無間道 II》及《無間道 III 終極無間》。

除了改戲名，藝人改藝名以求好運氣、好人緣，更是香港電影圈中常見的事。例如大家熟悉的成龍原名陳港生、劉德華原名劉福榮、陳慧琳原名陳慧汶、關之琳原名關家慧及舒淇原名林立慧等。今日，他們全部都是香港影圈中獨當一面的巨星，入行多年依然片約不斷，而且支持者甚眾。

5. 最忌扮演跟自己同齡的逝者

香港電影界其中一個禁忌：演員如果要演出真人真事的故事，不宜扮演一個跟他同齡的已逝者。李連杰當年拍《霍元甲》時，正好 42 歲，而霍元甲死時也是 42 歲，所以當這部片開拍時，圈內人都紛紛勸阻他，但李連杰堅持接拍。結果拍片期間，劇組碰到了南亞大海嘯，之後兩天李連杰音訊全無，曾經引致了恐慌，朋友都以為他犯了忌諱出事，還好李連杰最終安全無恙。

6. 拍鬼片勿忘收利是

中國人凡事講求意頭，所以當要拍攝一些「意頭不好」

的場面，或要到一些與死亡、病痛有關的場地拍攝，如墳場、醫院或殯儀館等，不管是實景或搭景，幕前幕後上上下下都會收到一封利是，以求心安，事事順利。

此外，如果某演員要在戲中扮演死人、垂死病人、昏迷病人，又或其照片要被用作靈堂相或墓碑相等，也要收取利是，以沖淡因不吉利的感覺所帶來的心理壓力。不過，雖然功夫做足，很多鬼片在拍攝期間還是常常傳出工作人員撞鬼或遇怪事等傳聞。

7. 影視名星最忌亂轉髮型

還有一個演藝界的禁忌與頭髮有關。中國人一直相信，人的頭髮長短與其運氣是有直接關聯。如果某演員一直是留長髮，要是把頭髮突然剪短就會帶來不好的運氣。以巨星成龍為例，成龍的頭髮一直長及肩膊，但在 1987 年拍攝《龍兄虎弟》時，他剪短了頭髮，結果在南斯拉夫拍攝外景時發生意外，頭部受傷並昏迷幾天。所以當紅男藝人很少大幅度地改變髮型，其中憑《古惑仔》系列裡束長髮演陳浩南一角而走紅的鄭伊健，其長髮一直保持了接近十年之久。

8. 電影人忌飲香片

影圈中還有一個有趣的禁忌，就是電影人飲茶時不飲香片。「香」字及「片」字，在廣東話裡分別有「死亡」及「電影」的意思，「香片」即意指電影會在票房上失利。為免自己的一番心血付諸流水，電影人對飲香片就絕對避忌。

10. 導遊領隊的禁忌

旅遊團中，導遊少則會與團友相處至少 1 日，多則 10 多天，為了令大家相處融洽，導遊和團友都會聊天或講故事來打發時間，又或是說說當地的風光和旅遊注意事項等等，但原來，不論為了營造氣氛又或是娛樂大眾，導遊不約而同都會遵守同一個禁忌，就是不講酒店鬼故。

↑如果導遊同你講鬼故，你就要立即 Stop 佢！

唔好在酒店講鬼故

因為酒店間間地都有幾十年至幾百年歷史，如果裡面的靈體覺得不受尊重，隨時會捉弄大家……

曾經就是有導遊犯下講鬼故的禁忌，結果得罪靈體，把他們一團人反鎖在房內，直到翌日才將他們放出來 ……

11. 搭棚工人的禁忌

原來搭棚工人在搭棚時，每日早晚都會上香，這是行內默認了的行規，每個工人一定要遵守！

據說，因為搭棚需要用竹，可是竹十分惹鬼，如果有鬼藏於竹內，分分鐘會出來搞事，令搭棚工人死於非命，很容易出現工業意外。

唔跟行規枉送命

因此，為求心安，搭棚工人每日早晚一定要上香。而且搭棚用的竹，一定要用香拜過一日一夜才能使用。

↑搭棚是危險的工作，唔守禁忌，隨時無命！

曾經，有個初入行的搭棚工人，就是因為貪方便，完全不顧行規，判頭吩咐他用香拜翌日要用的竹，但他卻對判頭的話聽若罔聞，偷偷地放工走人。結果，翌日他用未拜祭過的竹搭棚時，就因為差錯腳，從十樓高空墮地身亡了！

有老前輩說，這就是因為他沒有拜過「竹鬼」，結果惹怒「竹鬼」，被它們當成替身，他才會死於非命！

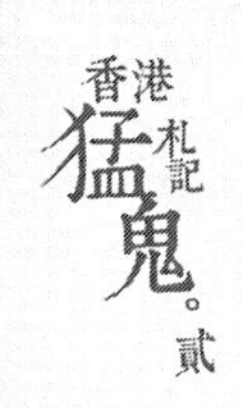

12. 救生員的禁忌

老一輩的救生員都認為如果有人遇溺的話，除了因為泳客的泳術欠佳所致之外，很大可能是因為水鬼作祟。

快啲醒，呃走水鬼！

所以當他們把遇溺者救上岸後，即使做完人工呼吸，遇溺者仍然毫無呼吸、全無反應，救生員都會在他耳邊不停講：「你未死㗎，你都未斷氣，快快醒番啦！」之類的說話，目的就是想水鬼信以為真，離開遇溺者。這樣，遇溺者就有機會從鬼門關走出來，大步檻過！

↑救生員都有計呃走水鬼

任職救生員超過十年的阿 Ken 回憶，當年他初入行時有前輩就是教他不斷在已無呼吸跡象的遇溺者耳邊不斷說：「你未死㗎，你都未斷氣」等說話，結果奇跡地，遇溺者竟然再次有呼吸！

阿 Ken 說，自此他就不斷用這個方法來拯救遇溺者，在他手中，從未有遇溺者因失救而死亡！

13. 巴士司機的禁忌

巴士司機行內有一個規定，就是在一大清早，第一班巴士開出之前，一定要響按，目的是提醒寄居在車內的遊魂野鬼快快落車，如果它們被晨光照到就一定會魂飛魄散！為免作孽，每個早班巴士司機開頭班車時一定會響鞍！

遊魂野鬼灰飛煙滅

曾經有一位初入行的巴士司機就是不聽老前輩的說話，在巴士開出之前沒有響按，結果作了重孽！

話說阿奇第一日入職巴士司機，由於他新入行唔知規矩，因此一些資深的老行尊都好心地提點他，尤其是提醒他開首班車前一定要響按。但阿奇卻唔信邪，不加理會，只把前輩的話當耳邊風聽完就算！

阿奇坐進車廂，開了全車的燈後就立即開車，誰料在駛出車廠後，上層突然傳來淒苦的尖叫聲，阿奇嚇得立即剎停了車，然後衝上上層查看，但甚麼都沒看見。如是者連續幾天的清晨，阿奇都是照例沒有響按就開車，上層亦是傳來淒苦的尖叫聲，有時是男聲，有時是女聲。

阿奇開始有點害怕，便戰戰兢兢把這段靈異經歷告知資深的前輩。話還未說完，資深同事已一個一個開腔臭罵阿奇，斥責他自以為是，作了孽都不知道。原來，深宵停泊在停車場的巴士是遊魂野鬼最常棲身的地方，司機開車前響按，目的就是喚醒它們，請它們快點離開，以免被清晨的陽光射中。如果司機沒有響按，窗外的猛烈陽光就會把流離失所的遊魂野鬼照射到魂飛魄散。被老前輩圍著指責，阿奇聽得滿身冒汗，因為自己的失誤令它們連鬼都無得做，想來內心非常忐忑不安。

14. 騎師的禁忌

有沒有聽過「掛靴」？掛靴其實就是退休的意思，因此騎師行內有一個禁忌，就是騎師裝束上任何一件東西都不可以「掛」起來，尤其係掛皮靴，而騎師只要一犯下禁忌，即使他多不願意，不久後他就會「離開」馬場。

唔信邪，終身後悔！

話說，幾年前有個很出名的外國騎師唔信邪，賽事完畢後返回休息室，大汗淋漓的他立刻把上衣脫掉，把脫下的靴子連同帽子一同掛在架上，然後倒頭躺在木椅上睡覺。

↑一掛了靴，成世唔可以做騎師！慘！

但騎師卻不知道，霉運已經隨他而來了……

在下一場賽事中，騎師落場不久，隻馬就突然發癲咁周圍亂跑，騎在馬上的騎師招架不住，一個勁兒從馬上墮下。在這次意外中，他跌斷了大腿骨，再不能騎馬參賽，從此要同馬場拜拜，應驗了「掛靴」的不祥之兆。

15. 執骨師傅的禁忌

↑唔尊重死者，亂咁執骨，你就死硬！

執骨這行業十分冷門，但也很專業。執骨師傅在掘地起墳後，一般會在棺材開一條縫，疏散內的臭味，再起棺材的面板，然後吩咐在場的後人對先人叫一聲：「起身喇！」。執骨師傅相信人死後七年仍有靈氣附在骸骨上，因此要出聲提一提先人。完成簡單的儀式後，他便開始將骸骨由上至下逐塊撿上來。

由於這是幫先人服務的行業，因此特別看重業內行規！

有傳，曾經就是有個執骨師傅不小心遺失了死者的下巴，又沒有向死者道歉，一個星期後他發生交通意外，全身一個傷口都無，只是撞甩了個下巴，都咪話唔邪！

遺失骸骨，死者絕不放過你！

執骨師傅的最大禁忌是不可以遺失死者任何骸骨，絕不能馬虎了事！即使骸骨有如魚骨般細，也要小心處理。如果在執骨的過程中，不小心將死者的骸骨拋到地上，必須說對不起。假如拋到地上的骨弄破了，那就要為死者做一場法事，否則死者必定報復！

16. 解籤師傅的禁忌

不論車公廟還是黃大仙廟，都會有解籤師傅隨時幫善信解籤，別以為解籤師傅解籤時只是信口開河，原來在解籤界中有一項不得打破的禁忌，否則師傅會招來不幸！

亂解籤，搞到家破人亡！

解籤師傅的禁忌，就是不得講大話，如果只為了討好對方就盡講對方想聽的事情，那麼解籤師傅就要承受講大話所帶來的惡果！

↑唔尊重死者，亂咁執骨，你就死硬！

話說早期有個解籤師傅在廟內為人解籤，有一日來了一個闊太，詢問婚姻，解籤師傅一看，竟然是下下籤，會家宅不安！但又見闊太身光頸靚，知道如果說好話就能得到不錯的打賞，便對闊太說盡好話，又說她的丈夫非常愛她，婚姻非常和順云云，闊太聽後果然眉開眼笑，打賞了 $1000 小費！

解籤師傅本來有個非常幸福的家庭，有兒有女，一家四口樂也融融，怎知道他一對闊太講完大話無耐，立即得知妻子背著他有另一個男人！他婚姻立即破裂，而兒女卻無一個支持他的決定，更跟妻子離他而去！就是為了打賞的小費，解籤師傅竟然打破業內的禁忌，籤中所指的凶運便應驗在他身上了！

17. 的士司機的禁忌

通常在的士這個幽閉的空間很容易會撞到靈體，尤其是夜更的士，所以的士司機有時都很怕乘客要他們去和合地或荒山野嶺的地方，時運低的話隨時撞鬼！

因為唔想撞見污糟嘢，所以行內的士司機不約而同都會遵守一些禁忌！話說，那位的士司機在深夜時接載一位長腿的大美女，的士司機色心一起便忘記了行規，不斷透過倒後鏡望住女乘客的大腿，但過了幾個街口，正巧街燈壞了，路上非常昏暗，的士司機這時從倒後鏡又望住那女乘客時，竟然見到一個不斷在掉爛肉的女人！司機當堂嚇得翻車，傷勢非常嚴重，結果住了整整一個月醫院，最後更因創傷後遺症而不能再駕駛的士，生計大受影響！

別以為是無稽之談！的士司機有兩大禁忌一定要遵守：

1. 忌駕入掘頭路

的士司機的禁忌就是避免駕入掘頭路，驚有入無出，而且掉頭的時候通常都要不斷望向後方，這樣做很容易會見到靈體。

2. 忌不斷望倒後鏡

的士司機不會不斷望倒後鏡，因為倒後鏡很容易會反映出人類肉眼見不到的污糟嘢，即使無嚇到發生意外，嚇親自己都不太好。

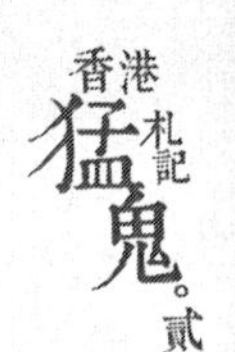

18. 醫護人員的禁忌

醫院一向都是陰陰森森的場地，容易聚集鬼魂，而且醫護人員要照顧病人，手下全是人命，自然有很多禁忌要遵守，不為意犯下禁忌，小心被鬼纏 ......

醫護人員中有個移屍不叫名字的禁忌，但有人卻曾經打破禁忌，結果被剛過身的鬼魂記得他的名字，死纏著對方，要他幫忙完成未了的心願 ...... 想知道更多關於醫護人員的禁忌，立即去片：

1. 移屍不叫名字

當醫院有人死去時，醫護人員會將屍體移去另一張床，但當他們做這些動作時，絕對不可以叫任何人的名字。這是因為人死後，四肢及五官等各種身體機能都會慢慢停下來，而聽覺是最後才停頓的。萬一死者心願未了，很有可能會記下最後聽到的名字，變成鬼魂後便會要求那人替他完成心願。所以為免受鬼魂滋擾，還是少說話多做事。

2. 禁吃芒果

不能吃芒果，吃了就讓你忙（芒）翻天。

3. 病人過世後，床墊要翻面

病人過世後，醫護人員通常會將床墊翻面，除了要用紫外光消毒外，將床墊翻面，據說也能夠轉走死亡的惡運。

4. 隨身帶備利器

醫護人員遇鬼時，要立刻將制服整理好，並擺出一副

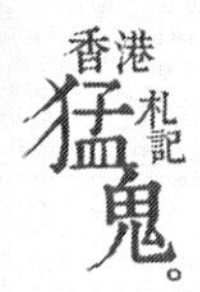

專業、正氣的形象，讓鬼怪知難而退。此外，據說鬼十分怕利器的響聲，所以醫護人員會把小剪刀等利器放在身上，以備不時之需，假使真的遇到鬼，就會拋到地上，把鬼嚇走。

19. 開麻雀館的禁忌

麻雀館和打麻雀都各有不同的禁忌，其中麻雀館最忌開正米舖對面，因為米舖每日開門之時，都會將米倒入桶內，這等同「日日倒米」，對開麻雀館的人來說極不吉利。麻雀館亦忌用紅色，由於酒色財氣都是遊魂野鬼喜愛流連之地，再加上紅色本屬陰邪之色，因此會特別容易招惹鬼魅。

20. 空姐禁忌

別以為交通意外只會出現在地面上！雖然飛機失事率低於車禍，但飛機如果在空中發生意外的話，生還的機率根本等同零！但空姐經常要坐飛機飛來飛去，面對飛機失事的危險自然比一般人大，因此空姐們大多都喜歡養龜，取其好意頭：寓意「歸」來的意思。

空姐很多時都身在外地，最緊要是平安歸來，不然客死異鄉，只能慘成遊魂野鬼！

節日禁忌

大家想年年有今日，歲歲有今朝的話，切記在一些重要的傳統節日裡不要犯忌諱，否則，明年今日你將不在人世！

1. 鬼節禁忌

相傳中國農曆七月是鬼節的月份，七月初一更是「鬼門關」開啟的「大日子」，無數鬼魂湧到陽間，陽間因此會成為它們的散心地，陰氣衝天。每年鬼節期間，傳統習俗會在路邊預備祭品來安撫鬼魂的，祈望它們飲飽食醉及收了衣錢財物之後，安守本份不要在陽間搞事。但人有善惡之分，鬼亦有！你不會知道有沒有做錯事情觸犯到它們，隨時搵你做替身！有見及此，以下將會為你們詳解盂蘭節禁忌，避免惹鬼上身！

鬼節絕不能做的事

講起燒街衣，必須注意以下禁忌不要觸犯，以免惹怒鬼魂而不自知：

1. 忌回頭看

燒街衣時，會有很多遊魂野鬼不斷接收物件，萬一你時運低望到靈體，它們又望到你，它們可能會纏住你不放。據聞，有一位小孩跟媽媽去燒街衣時，回頭望到一位沒有腳的女人向他微笑，之後幾晚連續不斷夢見那個女人在床邊向著他微笑，他向媽媽說出這件事後，媽媽立即找廟祝唸經和燒「日腳衣」軀鬼，小孩才沒再見到女鬼。

2. 忌腳踢街衣

一個人無聊地在街上踱步，踢吓汽水罐和石頭打發時間就無所謂，但用腳踢剩下的灰燼就可大可小！因為據說鬼魂就在街衣變成灰燼後才去執拾，你用腳踢的話如同阻住它們搵食，等如挑釁，隨時會惹怒它們。不過，如果你只是無心之失，不小心踢到的話，衷心說句對不起，它們不會怪責你的。

3. 刮起怪風也要繼續

燒街衣期間，如中途忽然刮起大風，而這種風是由下迴旋而上的話，切勿弄熄火種，還要不斷加入紙錢，讓衣紙燒得越旺越好，這股怪風代表有很多靈體爭相前來接收紙錢。其實，燒衣能積德，有越多鬼接收，就等如你積德越多，大家不用害怕。

4. 在十字路口燒衣

如果想積德達至最佳效果，最好在十字路口燒衣，因為據說十字路口最能聚集四方靈氣，令更多遊魂野鬼接收你所燒之物。

5. 忌帶祭品回家

燒完衣後，即使有用剩的物品、膠袋等，全部都要棄置垃圾桶，切勿帶回家，以免有鬼魂跟你回家。

6. 忌燒破衣紙

在鐵筒內燃燒街衣時，為了讓火燒得均勻一點，很多人會用鐵枝挪動衣紙，但挪動的動作不要太大，以免弄破衣紙。最後，待街衣全部燒完才好離開。

鬼節夜行必知禁忌

鬼節期間，夜晚十點至第二朝早上六點是陰氣比較重的時段，大家要盡量避免出街。雖說鬼節不應出門，但在今天的社會，有哪個打工仔不用加班？難道以鬼節為由向上司申請豁免加班？現今打工仔經常要加班，捱到夜晚九點十點才下班一點也不出奇，如果撞上鬼節，深宵返家有甚麼要注意的地方？

1. 忌行樓梯邊

很多舊式唐樓沒有升降機，住客要行樓梯返家。但樓梯位置易聚集靈體，行樓梯隨時撞鬼！惟有盡量避免沿扶手或靠牆邊走，改行中間，咁就可以減低遇上靈體的機會。

2. 忌落沙灘游水

夏日炎炎，消暑妙法當然是去沙灘游水啦！不過農曆七月就要小心，皆因不少葬身於大海的鬼魂會趁鬼門關大開而上水面搵替身，所以，鬼節最好少游泳，特別係夜晚最好咪落水！

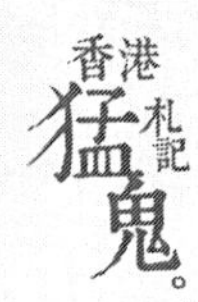

3. 忌到墳場廟宇

人所共知，墳場是靈體的集中地。除此之外，廟宇也是靈體愛到的地方，農曆七月亦要避免踏足。

4. 忌拉埋天窗

結婚擺喜酒、BB 擺滿月酒等喜慶事情都盡可能避免在鬼節期間舉行。

5. 忌家居裝修

農曆七月盡可能避免進行家居裝修，如果由六月份已經開始裝修，則可只好繼續。

6. 忌穿紅黑衣服

穿紅、黑色衣服容易招惹靈體，應要避免。農曆七月鬼節期間，可穿上黃、白色衫，因略似符咒的顏色，有辟邪作用。

7. 忌搬屋

鬼節不宜搬屋，即使遇上收樓或者租約期滿等問題，亦避免選擇踏正農曆七月十四前後五日內搬遷。

8. 忌落酒吧或卡拉 OK

一般環境比較陰暗地方，例如酒吧、卡拉 OK 等都盡量避免唔好去，因為農曆七月最容易聚集靈體。

9. 忌外遊搭飛機

農曆七月較容易發生交通意外，出外旅遊等應該避免，亦最好少搭飛機。

10. 忌拔腳毛

俗話說：「一支腳毛，管三隻鬼」，所以腳毛越多的人，鬼越不敢靠近！

11. 忌坐第一排

每逢農歷七月，民間就會有眾多活動，如燒街衣、演神功戲、慈善團體派平安米等，是社區民眾一年一度的盛事。其中神功戲係做畀靈體欣賞的，大家千祈唔好爭坐第一排，皆因早已被靈體預訂了……

12. 忌晚上曬衣服

當靈體覺得你的衣服好看，它就會借去穿，順便在衣服上留下它的味道……

13. 忌喊人家的名字

與朋友在晚上逛街時，千萬不要叫出朋友的名字，也不要讓朋友直呼自己的名字，盡量以代號相稱，例如「肥仔」、「高佬」等，以免被靈體記住你的名字。

14. 忌靠牆而行

在街上走路時，不要靠牆而行，因為靈體喜歡依附在冰涼的牆上休息，你太貼牆邊，它們很容易上你身。

15. 忌撿路邊的錢

貪字除了得個貧，還會惹禍上身！地上執到寶，不一定是好事！如果大家在鬼節時在街上見到錢，不要貪心據為己有，以為發橫財，筆者怕你無命享！因為這些錢可能

是靈體用來買通牛頭馬面的，你拿了它們的錢，壞了它們的好事，自然會向你算帳！

16. 忌輕易回頭

當走在荒郊野外或人煙稀少的地方時，覺得「好像」有人叫你，不要輕易回頭，那可能是靈體……

17. 忌勾肩搭背

人的身上有 3 把火，頭頂一把，左右肩膀各一把，只要滅了其中 1 把，就很容易被靈體上身！因此，在鬼節與友人逛街，並肩而行即可，不要搭著對方的膊頭！

18. 忌拖鞋頭朝床的方向擺

靈體會看鞋頭的方向來判斷生人在哪裡，如果鞋頭朝床頭擺，那麼靈體就會上床和你一起睡……

19. 忌筷子忌插在飯中央

這是拜祭的模式，就好比香插在香爐上，此舉只會招來靈體與你分享食物……

20. 忌晚上拍照

此舉動容易將靈界的朋友一起拍進來，然後跟你回家！

21. 忌玩碟仙

玩碟仙容易招惹靈體，更何況在鬼節？ 想自殺？

22. 忌吹口哨

男士請注意：周街吹口哨撩女仔，最多被人話「痴線」！但在鬼節切勿口痕吹口哨，女性靈體會以為你在挑逗它，看中你就知死！

鬼節忌去夜街的六種人

要在鬼節期間停止一切晚間娛樂唔去街，又真的很有難度，不過，如果你是以下其中一類人，就一定要收心養性留在家中啦！

1. 孕婦

整個鬼月，孕婦都不宜去夜街，尤其是晚上十時後，因為孕婦胎兒具先天陽氣，易與陰氣相衝。

2. 犯太歲者

因流年與太歲犯了「刑、衝、破、害」，而令「抗衰運」的能量減弱，因此最好迴避。

3. 額頭下巴呈晦暗氣色者

額頭、下巴呈晦暗黑氣代表時運低，容易被邪靈侵害。

4. 失意人

如失戀、失業、破產等都屬於失運之人，較易撞邪。

5. 飲酒人士

飲酒後神志較迷糊，特別醉酒的人士，易被靈體干擾。

6. 精神病患者

精神病患者因思緒混亂，容易被鬼魂入侵，造成行為失控。

不講不知，鬼也有禁忌！

鬼令人心驚膽寒！上文所說的種種禁忌，目的都是想出入平安，遠離惡鬼！其實，一物治一物，鬼也不是無所不能的，它們都有自身的禁忌。

1. 鬼忌陽光

太陽是鬼魂最害怕的東西，光天化日之下，煞氣騰騰的凶靈都會化為烏有。所以在太陽將要出來時，鬼會早早地逃匿而去。

2. 鬼忌火

據說人走夜路時，如遇到鬼怪，只要點燃一把火，就會把鬼嚇跑的。沒有火種時，就用手撓頭髮。據說頭髮裡迸出的火星也有驅鬼辟邪的能力，可見鬼是多麼忌見火光了。民間還常用火燒的方法懲治惡鬼，據說大火能把惡鬼「燒死」。

3. 鬼忌爆響

木頭、竹子燃燒時，會發出「劈劈叭叭」的響聲。據說這類響聲是鬼最害怕的。民間驅鬼辟邪時燃放爆竹、鞭炮等，都是有助驅鬼辟邪的。

4. 鬼忌紅色

紅色的東西，如紅布、朱砂、動物的血液等都是驅鬼辟邪的寶物。

5. 鬼忌燈

燈會發光，原理和太陽一樣，能嚇退鬼魂。如果大家要到外地出差，獨自在酒店過夜，可以開著全屋的燈來壯膽。

6. 鬼忌雞鳴

所謂雞鳴則日出，日出則鬼沒。因此，雞隻一鳴叫，鬼魂會以為是天亮，立即躲開。

7. 鬼忌老虎

鬼是懼怕和避忌老虎的。民間常畫虎於門，又會替小孩子穿虎頭鞋，戴虎頭帽，目的都是用來辟邪驅鬼。

8. 鬼忌桃木

鬼最忌桃木，民間會以桃木做成弓箭、劍、棒，用來辟邪驅鬼。

9. 鬼忌米

古人相信，米有驅除鬼魅、防避邪靈的作用。小孩跌倒時，以前長輩會以鹽米撒在跌倒處，相信如此即能把害小孩跌倒的邪鬼趕走。喪葬時撒了鹽米之後，死者的鬼魂就不會加害扛棺的人了。台灣一帶，新娘下轎時，要由家人用八卦米篩蓋在新娘頭上，方可進入廳堂，作用是辟邪招福。

10. 鬼忌豆

除了穀米外，鬼亦忌豆類植物。河北一帶，新婦出嫁，須暗帶許多黑豆，到婆家撒在賓客身上和屋子四周，據說可防凶星。臘月二十三，祭竈後，人們喜用小紅布袋裝上竈王爺前神馬飼料中的黑豆，縫於腰間，據說可以驅鬼消災。

11. 鬼忌惡人

民間傳說，不怕鬼的人，鬼就怕他了。如果一個人夠霸氣，雙目有神，殺氣騰騰，鬼也不敢冒犯。

12. 鬼忌尿

鬼忌穢物，如人尿、髒水等。如果前路有鬼擋路，而你又不得不前進的話，撒一泡尿，路就可以通了。以前，古人會替孩子取個髒名做外號，比如「尿壺」、「牛屎」和「狗蛋」等等，就是希望孩子不受鬼魅邪神糾纏。

13. 鬼忌符咒

鬼是害怕符咒的，尤其是有法力的巫覡、方士、僧道等人所畫、所念的符咒，據說是可以降服、驅逐鬼魅的。除了書寫、誦念的符咒之外，一般民間家門上張貼的「門神」、房院中書寫的「姜太公在此」、「泰山石敢當」等等也都有類似的作用和意義。據說有了這些符咒，鬼怪就不敢輕易進家門了。

據說，鬼所害怕的東西還有很多，如詩書、曆書、經書、卦書、漁網、刀槍、弓箭、茶葉、狗血、黑驢蹄等等。這些都可以使鬼怪畏懼，令它們知難而退！

2. 清明節的禁忌

清明節是祭祖和掃墓的日子，是一年一度孝子賢孫對自己祖先表達敬意的節日！然而，在這個節日中，原來有20個不可不知的禁忌我們一定要遵守，否則將會惹上無窮災禍……

拜山時多口，唔死一身潺！

你不相信？阿威也是因為不相信，而在清明節犯下禁忌，終於被鬼教訓……

清明節當日，阿威被家人吵醒要他一起去掃墓，剛飲酒飲通宵的阿威自然百般不情願，但在媽媽威逼利誘之下阿威只得就範。

去到墳場時，家人照例幫祖父母的墳打掃乾淨，而睡眠不足的阿威則大條道理地一個人坐在地上打呵欠，沒有幫忙的意思。

阿威看著家人忙得起勁，他卻百無聊賴，便在墳場走來走去，又端視其他墳墓，而且更對墓碑上的照片評頭論足：「嘩！咁靚女，竟然咁細個就死？真係英年早逝！唉，死之前益吓我吖嘛！」阿威逐個逐個墳來端視，一見到墓碑上有年輕的少女就搖頭大嘆可惜，就這樣消磨了不少時間。

家人把墳墓打掃得七七八八時，便大聲地呼喚阿威回來，阿威應了一聲說：「我去埋廁所先！」但他卻找不到廁所，又左右不見人影，便求其走近一二角自行解決了事，急急腳返回家人那邊。

阿威跟家人拜祭完祖先後已經夜晚 7、8 點，阿威坐車回家途中時，卻感覺到渾身不舒服，就像有一盤冷水照他頭淋下去一樣，令他全身發抖。他以為自己感冒便合上眼睛睡了一會。

突然——他感覺到有個重物坐在他的大腿上！阿威立即睜開眼，竟然見到一個獠牙女人正面望著他！阿威想反抗時，卻發現自己全身都動彈不得！

那女人狠狠地看著他，用一把很沙啞的聲音說：「你唔係叫我益吓你咩？」

阿威一聽便知道自己剛才衰多口累事，趕緊對她道歉。

但那女人不領情，更說：「你咁鍾意我，等我拉你落去做對鬼夫妻！」說完張口往阿威的頸咬下去！

阿威吃痛之下大叫了一聲！

坐在前面座位的媽媽望住阿威，說：「你無事啊？發開口夢？」

阿威動一動身體，發現已經可以自由郁動，四周又不見那獠牙女鬼，便知自己只是發了場惡夢。

正當他打算再睡時，突然，頸部傳來一陣劇痛 ...... 他拿鏡一照，赫然就見到自己頸上有一個正在淌血的咬痕 ......

這時，身旁傳來一把女聲說：「這次當做教訓，下次你再犯，就要你永遠陪我 ......」

拜山不可不知的禁忌

清明節拜山禁忌多多，不想惹禍上身？立即看以下不可不知的清明節禁忌！

1. 忌亂程序

按照習俗，清明節拜山的順序是打掃墓地→上香→上肉→敬酒→拜祭→燃燒祭品→清理香燭灰燼→拜別祖先。

掃墓時，人們攜帶酒食果品、紙錢等物品到墓地，將食物供奉在先人墓前，再將紙錢焚化，修整墳墓，還要在墳上邊壓些紙錢，讓其他人知道此墳尚有後人。

2. 拜山活動忌三點後才結束

有人說清明拜山越早越好嗎？其實按照傳統，清晨 5 至 7 點最為適合，不過當然，現在通常不會那麼早，但即使早唔到，結束時間都要安排得宜，最好在下午 3 點前完成清明拜山活動，因為下午 3 點過後，人間的陽氣已逐漸消退，而陰氣逐漸增長，若是時運低的人，很容易會招惹陰靈纏身或騷擾。

3. 孕婦忌拜山

孕婦要避開清明拜山的活動，不僅如此，嚴格說來，女性來月經，都最好也不要參加此類活動。

4. 在家拜祖先的禁忌

如果未能到祖先墳前拜祭，也可以在家拜祖先。方法是在家裡陽台或客廳，朝家鄉方向，擺上祭拜用的食品，燒上三支香，再鞠躬三次。然後，再燒紙錢祭祀。

5. 清明節悼念逝者忌買錯花

菊花有思念和懷念的含義。白色菊花是最適合的，也可以搭配其他白花，例如百合、康乃馨等，會更漂亮。

6. 切記看看自己的額頭

掃墓的當日早上，洗漱之前，先照鏡看自己的額頭，看看有沒有烏黑的氣色，如有則表示時運較低，上山掃墓前，可隨身佩戴玉器（古玉效應更好），以作化解。

7. 掃墓之前宜吃素

掃墓當天早上最好吃素及衣著整齊，表示對先人的禮貌和尊重。

8. 切記奉香給山神土地

掃墓時，除了將帶來的香燭冥鏹、鮮花果品、紙錢、酒等物及先人生前喜歡吃的東西，擺放在墓前外，還要先燃點香燭，奉香給看管墓地的山神土地，因為山神土地是墓地的守護神。此後才是恭敬地向先人叩拜上香獻花，然後燃燒冥鏹，奠酒(即將酒灑在地上，這代表向先人敬酒)，禮畢，可以聚餐飲酒，待香燭點完後可離開。

9. 掃墓時忌嘻笑怒罵

墓地是陰靈的安居之所，大家不可跨過墳墓及祭品，大聲喧嘩、嘻笑怒罵、污言穢語、亂跑亂碰、隨處小便等都對先人不敬，更會對附近的靈體構成滋擾。此外，不能踐踏別家墳墓或對墓穴設計評頭品足，否則會被視之為褻瀆，遇到不好的氣場，會惹到一身麻煩回家。

10. 忌在先人墓地照相

忌在先人墓地照相，但如果要影，小心別將其他墳墓拍進鏡頭。否則，你的運勢很可能下降。

11. 切記要燒衣包

「燒衣包」是祭奠祖先的一種形式。所謂「衣包」，是指孝子賢孫從陽世寄往陰間的郵包。衣包上最遲要在農曆七月十三日前寫好「收件人」名字，然後焚燒，據說在另一世界的祖先亡靈馬上能收到。

12. 忌清明節探訪親友

最好不要在清明節當天去探視親朋好友，隔天去探視為宜！因為清明節是祭奠的特殊時候，此時去探望親朋是不吉利的。當然，請親朋好友在外面吃飯就無問題！

13. 忌婚嫁

結婚是人生大事，最好避開清明節時期。

14. 忌外出旅遊

清明節時期，子孫寧願外出旅行去玩，都不去祭祖，祖先會生氣的，也不會保佑他們。

15. 忌大紅大紫穿金戴銀

拜祭當日忌穿大紅大紫的衣服，應穿上素色的服飾。另外，不要佩戴紅色的配飾。

16. 忌亂了拜祭次序

拜祭的先後次序要講究，依次為：父親、母親、長男、長女、次男、次女……餘此類推。拜祭完畢後，祭品讓祖先祝福過，眾人方可食取祭品。最後當然要注意防火安全，待香燭燒完後可離開。

17. 拜祭要懷敬意

懷著尊敬先人的心情，對四周的死者亦予以尊重。

18. 忌陪朋友去掃墓

女友陪男友去掃墓可以嗎？下屬陪同上司去掃墓，甚至陪同客戶去掃墓，又可以嗎？其實，外人最好不要陪同去掃墓，因為各自的氣場是不一樣的。如果實在不能避免，可佩戴辟邪吉祥物，如桃木手珠等，否則會犯了禁忌。

19. 忌忘拜先人

一些人幾乎每年在清明時節都會夢到自己已經去世的親人或者朋友，甚至在夢中還跟他說話聊天。其實，這已經很明顯地告訴你該去給他們掃墓了。

20. 過生日要避忌

如果恰巧清明節是你的生日，那麼禁忌會更多。比如當日不要接受鮮花，同時生日蛋糕自己不可以當天吃。坊間認為，壽星仔壽星女這樣做才會長命百歲。

3. 傳統過年的禁忌

一年伊始，萬象更新。過年是中國人傳統的習俗，自然有很多禁忌是不可觸犯！所謂新一年新開始，如果唔覺意犯下過年的禁忌，隨時黑足成年，事事不順心！

新年追數黑足成年

Dina 就是在新年時犯下禁忌，結果一整年無一日好運過！

過年時，Dina 約埋三五知己開枱打麻雀，Dina 手氣非常旺，鋪鋪都自摸清一色，其他雀友自然唔多忿氣，對 Dina 說：「嘩！你好旺咁喎！」

Dina 說：「吖啊？無錢俾啊？你之前仲爭我成千蚊未俾啊！」

被 Dina 譏諷的人便說：「新年流流你唔係追數咁無品啊？」

Dina 說：「啡！我不嬲都無品，宜家係追你數㗎喇！」

那人臉色雖然已經有點黑，但當著眾人面前，只得再付清 Dina 條數。Dina 雖然追得返 $1000，但結果一整年都黑過墨斗，不僅賭錢賭幾多輸幾多，一起多年的男朋友甚至另結新歡跟她分手，Dina 更因公司裁員而被炒！有朋友說，因為她過年時追人數，結果一整年無一日行運！

想新年順境一次要睇

不想好像 Dina 一樣黑足成年？立即看以下 10 大過年

禁忌，令你事事順境、一帆風順好 Easy ！

1. 忌罵孩子

若父母在大年初一罵了孩子，整年孩子都要你勞氣了！因此，在新春喜慶的節日，父母最好多加稱讚孩子，如果孩子說錯話，馬上跟著說：「孩童之言，百無禁忌」。

2. 忌將垃圾掃出門外

「年廿八洗邋遢」，有除舊迎新的意思，到過年那幾天則忌打掃。初一至初五忌倒垃圾，也不能將垃圾掃出門外或往外倒污水，恐將家中的財氣掃掉。

3. 忌洗衣

水神的生日在初一、初二，因此忌諱在這兩天洗衣服。

4. 忌催人起床

年初一的上午不要催人起床，因為這樣對方整年都會被人催促著做事。

5. 已婚女子忌初一、四、五回娘家

過年期間，外嫁女和女婿只能在初二或者初三回女方娘家，據說這樣才不會把娘家吃窮。

6. 忌跟還在睡覺的人拜年

年初一忌跟還在睡夢中的人拜年，須等到對方起床後再拜年，否則會讓對方一整年都在病床上。

7. 忌吃魚頭

過年期間魚是必備菜，稱「年年有餘」。吃魚時，應將頭尾留下不吃，這樣就表示來年食得好著得好，還有剩餘。

8. 忌討債

傳統認為，過年期間不管是被人要債還是向人要債，那人這一整年都會很倒楣。

9. 年初三忌拜年

年初三又名「赤口」，傳統上人們儘量不往人家拜年，免生口角。在香港，很多善男信女會趁這天到沙田車公廟祈福，轉轉風車，喻意轉出好運，祈求新的一年行好運，老少平安。

10. 忌買鞋

農曆新年忌買鞋，「唉唉」聲不好意頭。

4. 婚娶之日的禁忌

婚娶之日兩人將會結為夫婦，共諧連理，乃喜慶的人生大事，但原來婚娶之日有十大禁忌是不得觸犯！一但觸犯勢必令婚姻不順、夫婦不和睦！

一對 80 後新人 Dick 和 Mary 結婚後半年立即離婚，事件震驚男女雙方親友，有人說，是因為入夫家之間時，新娘沒有過火盆就入新房，以致夫妻婚姻不順！

現今離婚率偏高，可能就是由於每個人都看輕了婚娶的禁忌所致！不想成為婚姻的失敗者？立即看以下婚娶之日的禁忌！

想白頭偕老就要記住啦！

↑ **先過火盆，去除髒氣，迎接新的開始。**

1. 安床後到新婚前夜，要找一個未成年的男童和新郎一起睡在床上，否則「睡空床，不死夫也死妻」。
2. 新娘房的鏡子在新婚四個月內忌借給他人，也忌照人，因此嫁妝的衣櫃或梳妝台有鏡子的話都要用紅紙包住，滿四個月才可拆卸。
3. 新娘的衣服忌有口袋，以免帶走娘家財運。
4. 禮車啟動之後，新娘的母親會潑一碗水於地下，這代表女兒出嫁後不要太想娘家，要為夫家一切著想，才會有好的婚姻，用意良善。

5. 新娘入夫家之門要先過火盆，再入新房，主要是去除髒氣，喻意迎接新開始。
6. 結婚當天，到晚上就寢前，所有的人要遠離新床，尤其新人絕對不可碰到床邊，以免一年到尾都病在床上。
7. 婚嫁忌生肖屬虎的人觀禮，因虎會傷人，免得因此而導致夫婦不和睦或不孕。
8. 結婚後第三天，新婚夫婦攜禮回娘家。但切記當天要在天黑前趕回夫家，不能在娘家過夜。
9. 結婚後的四個月內，新娘不可參加任何婚禮喜慶的儀式，以免沖喜。
10. 結婚後四個月內，夫婦雙方忌在外過夜，否則會令婚姻不順。

奔喪禁忌

大吉利是都要講啦！出席人家的喪禮時，又或者在回魂夜與死者作最後道別時，有一系列的禁忌務必要遵守，尤其是燒香燭、冥鏹時，更不能有差錯。有甚麼差池，鬼魂會十倍奉還！

1. 回魂夜禁忌

「回魂夜」為道教儀式。相傳死者赴地府前因思念家人，其靈魂會於去世後第九日至十八日，由鬼差及祖先相伴回家。按死者的年齡、性別、死亡的日期和時間，可推算出亡魂會在甚麼時間回家。在回魂夜當日，家屬會在死者故居的客廳擺放一桌飯菜，象徵亡魂在上路前宴客道別。飯菜通常包括燒鴨、齋菜以及去殼的熟鴨蛋。若亡魂曾回來，鴨蛋的表面會留下亡魂的印記。

招錯鬼魂，女兒險賠命

有關回魂夜的禁忌不少，而一旦犯禁的話，最嚴重的一款禁忌莫過於自己計算回魂夜，以致招錯遊魂野鬼入屋！

據說，曾經有人為了節省金錢，竟然不孝得沒有請「師傅」計算父親的回魂夜，直接以網上計算回魂夜的版本作參考。結果，那名不孝子不但計數了時辰，更誤請了一隻中年女鬼入屋！

到他發現時，女鬼已把他的居所當作自己的家，在屋內弄得猶如陰間一樣，不願離開。他的女兒更被鬼迷，臉上被女鬼畫上了衣紮婢女的妝，當上了女鬼的婢女，為女鬼打點生活常事！他最後要請了一名有多年道行的「師傅」到家裡，搞了好幾天才能收服那隻女鬼。為了一點錢，他之後不但破了更大筆的財，更差點害女兒賠了命，終生成為女鬼的婢女！

對先人不敬遭教訓

亦有幾人在回魂夜當晚怕悶，提議打麻雀。他們玩到西風時，正好是先人回魂的時辰。當他們一開牌時，每人手上都有一隻西……

更邪門的是，坐西位的人居然第一個打出了雙番西，之後北位的人明明想打旁邊的筒子，卻好像鬼遮眼一樣打錯了西！接下來兩人的手也好像被抓著一樣，兩人也打出了一隻西！此時，西位的人突然望向對家後方，如瘋子一般的抓著自己的頭髮，不斷放聲尖叫，失控地往鬼倒。對方回頭一看，發現牛頭馬面和先人就站在後方，一臉怒容瞪著他們！

那幾人馬上逃跑，想跑出屋又打不到門，只好在屋內一邊跑一邊不斷道歉，過了近 10 分鐘，牛頭馬面和先人才不再追上來……

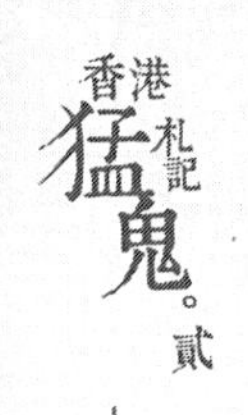

唔想死就不要犯禁

除了這兩個例子外，其實回魂夜要避免做的事還有很多！一旦好像上述人士一樣犯禁，你們不知道會不會像他們一樣那麼幸運，沒有招來殺生之禍：

· 選用即棄的餐具杯碟和白色膠枱布，之後全部棄掉。

· 準備三杯酒水，三杯酒水無特別指定是米酒白酒，可以擺放先人生前喜愛的酒類（例如紅酒）。

· 一定要在桌上準備餸菜，餸菜數目一般為五個，當然亦可以包括先人喜愛的東西，葷或者齋都可以，需要視乎先人生前的習慣或喜好，但一定不可以有牛肉和馬肉出現。因為會有牛頭馬面將先人帶回來，如果有牛肉實屬不敬。

· 回魂時份，後人親屬應留在房間不應觀看，以示另一種尊敬先人的方式，亦表示不希望先人眷戀陽間。

· 家屬要於十一時前睡覺，並將硬幣、剪刀或利器放於床頭。到早上起床後，親屬應先把硬幣、剪刀或利器拋到廳才踏出房門，避免牛頭馬面仍停留於屋。

· 過分的喧嘩很不尊重死者，因此在回魂當晚不能相約朋友在家裡唱卡啦 OK、打麻雀等！

· 如見到任何昆蟲飛入屋內，不能打死牠們，因為這很大可能附有先人的魂魄。

· 回魂夜日子應由有道行的師傅計算，不應自行計算，以免請錯「人」入屋，分分鐘招惹到遊魂野鬼。

2. 喪禮禁忌

有很多人都相信得失鬼神之說，因此，當面對死亡或死亡的儀式，總會有人抱著「不要犯禁忌」的心態。因為有例可依，每一個說錯的人，隨時連命都無！

亂說話，結果跟鬼「落去」……

有一次，一間學校的一個女生被車撞死，同級的學生都被老師帶領下到殯儀館見死者最後一面。要知道十多歲的男生總是百無禁忌，其中一個男生在殯儀館上香時，竟然看著死者的遺照，不信邪的說了一句：「真係好靚女，那麼早死了真的很浪費，我還未溝佢呢！」

↑在殯儀館裡亂說話，同自殺又有甚麼分別？

站在隔離位的人馬上大叫一聲「咪！」，更跟他說不要再亂說，結果他也乖乖收口。可是隔了幾天，那個說錯話的男生臉色灰暗、精疲力盡的回到學校，說自己晚晚俾鬼壓床，更有幾次在半夢半醒間聽到一把女聲跟他說：「落嚟啦……落嚟陪我啦……」

同班同學都想起他那天亂說話，馬上叫他一下課去一趟死者的靈位拜祭，求對方放過自己，結果那個男生去畢墓院後，在歸家途中遇上車禍，全架巴士就只有他一個人受傷，他更傷重死亡。

據說，巴士上其他人都看到，那名男生在出意外前，座位旁邊有一名樣貌娟秀、面色蒼白的女子，在他遭遇車禍後好像凌空消失一樣，沒有在車上……

除了上述例子外，在出席喪禮，或是殯儀館中，還有很多事不能做！如果不想像那名男生一樣招來橫禍，以下還有一些坊間對喪禮的禁忌，你認得跟足！

1. 參加喪禮必須心懷正念，不亂想、亂說、亂看，如對著死者照片說「這女生好漂亮，真可惜」等說話。
2. 死者為大，不要在典禮中大聲說話、表現不莊重。
3. 不應說笑、說話不要輕浮，會得罪死者及死者家屬。
4. 在殯儀館裡，不可亂看其他靈堂的內部情況。
5. 注意穿著，不可穿花花綠綠或鮮豔衣服參加！
6. 參加喪禮態度必須正經，不嘻皮笑臉！
7. 時運低的人不應去喪禮，如必須去的話，身體需要帶有平安符。
8. 在蓋棺前會進行瞻仰遺容儀式，如果與死者的生肖相沖，需轉身迴避。
9. 包帛金一定要單數，如 101、1001 等。
10. 離開時切忌向家眷說再見，一起相約去葬禮的朋友也不要互相道別，民間傳說這樣不吉利，像是很快又會有相同的事情發生。

11. 要說去洗手間或廁所，不可說去化妝間(室)，因為殯儀館內有一個的化妝室是專給死者用。

↑參加喪禮時有很多禁忌要知道

12. 參加喪禮可隨身帶紅包，袋裡裝些米跟鹽，米跟鹽有除煞功用，也可帶艾草避邪，後在回家途中丟到垃圾箱內。
13. 參加喪禮後先去人多熱鬧的地方再回家，避免把不好的東西帶回家！
14. 喪禮中所穿的衣服最好在回家前換下來。
15. 回家進門前用碌柚泡水擦拭全身。
16. 孕婦避免參加喪禮，如不得已須在腰部綁上紅布，避免沖煞到嬰兒。
17. 收到死者家屬派放的吉儀時，一定要在回家前用掉內裡的一元、吃掉糖果和使用過內裡的紙巾，不能帶回家。

3. 撒溪錢的禁忌

一般來說，整個出殯儀式的最後環節，就是送先人「上路」。有些家屬會在此程序進行時，按照民間習俗在靈車駛出殯儀館往墳場或火葬場途中，撒下一些溪錢及硬幣在地上，藉以為先人交「買路錢」，因為據說此舉可打發沿路上的靈體。

大家都應該對溪紙如其他祭品一樣恭恭敬敬，不要出言冒犯，也不要玩弄，更不應像某卡啦 OK 店一樣拿來當作趕客工具，否則招惹到死者時，再道歉也沒有用。

而在殯儀館附近地區，大家更不要抱著地上執到寶，問天問地攞唔到的心態，隨便亂拿錢！有時地上執到「寶」，可能惹來周身蟻，招惹到靈體……

1. 臉接溪錢需回頭

但凡在路上看到靈車經過時，大家都一定要注意。一旦被靈車上的死者親戚拋出來的溪錢，丟中臉或是身體部分，都應該馬上回頭走。這是代表大家沒心跟路人的遊魂野鬼搶錢，令它們不纏著你！據有一些有道行的人稱，如果「咁好彩」真的臉接溪錢，回頭走更可以得到那名死者的保佑，之後會得到一筆橫財！

2. 撒溪錢作先人買路錢

大家在殯儀館附近的街道上，都不時會發現一些硬幣。千萬不要不能貪心拾起它們，因為這是「與鬼爭利」的行

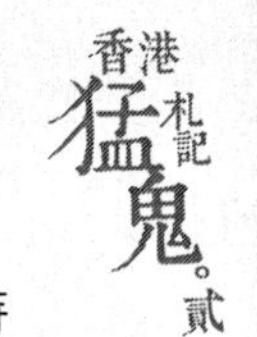

為，嚴重者更有機會招惹靈體，因此這些路邊錢多會留待清潔工人處理。

取地上錢買零食惹禍

家住九龍區某殯儀館附近舊樓的梁女士，其兒子就曾因誤拾地上的買路錢而惹禍上身……

由於她兒子就讀的小學也在居所附近，因此每天早上梁女士都會陪同兒子徒步上學，途中「必經之處」就正是殯儀館的正門。某天，她因為要參與公司的早會，便叫兒子自行上學。當晚她回家後卻發現兒子上吐下瀉，嚇得她不知如何是好，連忙召喚救護車將他送往醫院。經醫生診斷後，懷疑是小孩子因吃下不潔食物，所以感染了急性腸胃炎。

忽然上吐下瀉險死橫生

回家後，她便查問兒子究竟吃了甚麼，原來他下午時在街上買了些零食。梁女士非常奇怪，因為她認為兒子年紀太小，而從來不會給他零用錢，那為何他會有錢去買零食呢？在一輪追問下，兒子終於說出他今早在上學途中，在殯儀館附近的路上拾了一些硬幣，所以便用這些錢買零食。

梁女士聽後心頭一震，但亦沒有怪責躺在病榻上的兒子，而她亦不想在這個時候再說些嚇怕他的話，只是再三叮囑兒子別再這樣做。但當晚梁女士心裡仍是忐忑不安，而且更輾轉反側，因她恐怕兒子是因為招惹到靈體，才會

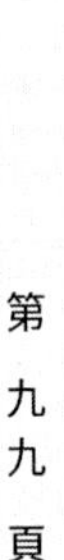

出現此情況。

惡鬼夜夜纏擾

在凌晨時分，梁女士突然聽到在鄰房的兒子大叫了一聲，她便急忙跑過去看看到底發生了甚麼事。只見小孩子正瑟縮在房間的一角，並指著窗外顫抖地說：「有鬼呀！」

梁女士望向窗戶，卻甚麼也看不見，於是她立即把兒子抱進懷中並加以安撫。可是小朋友卻哭說剛才見到一個叔叔從窗外把頭伸了進來，並望著他微笑。

這時，梁女士感到自己的膊頭被拍了一下，她也不敢回望，只是一直緊抱著兒子。過了一會，她又感到膊頭再被拍，這次她雖然也沒回頭，但卻因愛兒心切，鼓起勇氣大聲吼叫：「唔好蝦細路仔喎！夠膽你就出來搞我啦！」

說罷，一縷青煙從梁女士背後溜出，並飄到窗外，她連忙用手掩著兒子的雙眼，不讓他見到，以免他再次受驚。直至天亮時，她們母子二人才敢安心入睡。

雖然之後再也沒有任何事發生，梁女士也猜想這個鬼魂也只是想嚇一嚇他們，但自此以後梁女士的兒子不敢再隨便拾地上的零錢，總算賣了一個教訓。

4. 燒香禁忌

所謂香煙通達神明，為了表達自己的誠心，可是燒香亦有所禁忌！凡人為求神明聽到自己所求，必須遵守禁止，否則即使再誠心拜祭，神明亦可能聽不到你所求所想，無法達成心願！

就好像一名太太一直向觀音求子，可是多年仍未有所獲，後來幸得高人指點，跟足禁忌，每每誠心上香時都舉香至胸中，再舉至頭，令觀音可聽到她的請求，不出三個月便得償所願，求得胎兒。

故燒香亦要遵循以下禁忌：

1. 上香時，左足先踏出，不能回顧。
2. 拈香時宜左手在外，右手在內。因為左手為大，而右手為小。左手亦有潔淨之意，右手則由於需處理百事，容易沾上污穢，不應在內。
3. 舉香時雙手平舉至胸口，或雙手平舉至頭，以使心意傳達到天關，通天達地，傳給神明先人。
4. 祀神祭鬼時，焚香有別。為敬神而焚香者，由於奇數為尊，故此焚香時多為一支、三支等！至於敬神燃香，幾炷各有含意：

· 燃香一支，代表一心，象徵一心虔敬、一心向道。

· 燃香三支，一者象徵皈依三清三寶，一者代表天地人三才三界。

· 燃香五支，象微五方，代表遍召請東、南、西、北、中五方，多用於求財、尋人。

· 燃香七支，象徵北斗，代表北斗七星，多用於延壽、散禍。

e. 燃香九支，祭祀九幽遊魂！

5. 安香於爐時，以左手插香。

6. 燃香前要記得先洗乾淨雙手。

5. 不同國家的喪禮禁忌

↑不同國家，有不同的喪禮忌諱。在日本，喪禮可由佛寺辦理，故日本俚語有「生神葬佛」之稱。

很多人經常說中國人對死亡非常忌諱，但其實「死」對很多不同膚色、不同種族的人而言，亦是禁忌。由於世界各國風俗、民情有異，因此在喪葬中避諱的做法也各有不同。

如果你獲邀出席其他國家的喪禮，得要先了解對方的避諱，以免不小心開罪別人也不自知。

美國與英國

人們認為在大庭廣眾之中，節哀是知禮的表現，所以在喪禮中一般不會大哭大鬧，反而要表現得很有節制。在波士頓，弔喪的客人更不准吃三塊以上的三明治，如果吃了，就會被認為是不尊重死者、更認為這是不吉利的行為。

印度

印度認為在喪禮中如果不捶胸頓足、不號啕大哭，便是不合禮教，對死者不尊敬。所以在喪禮中，一般都見到憑弔者會痛哭流涕，顯得悲痛異常。

日本

日本人們在參加葬禮時，忌諱使用「一個接一個」、「頻繁」、「不久」、「又」等這些字詞。另外更要穿素裝，男子穿黑色西裝或燕尾服，繫黑色領帶。女子也要穿黑色套裝或黑色連衣裙。如果死者不是近親，參加葬禮時可佩帶白色項鍊和戒指。在葬禮中千萬不要戲笑或喧嘩。

緬甸

緬甸信奉佛教的人比較多，在葬禮當中有很多約定俗成的禁忌，儘管政府沒有明文規定，但人們都能自覺遵守。

↑緬甸人大多信奉佛教

緬甸人死後，留下來的建築材料，在世的人不能再用，否則會帶來厄運。另外，緬甸人在耕種期間，不吃喪家的食物，也不吃喪家敬奉神靈的供品，獵人出發打獵前也是如此，認為吃了這些食物會倒霉。

孟加拉

居住在安達曼海西部的矮種黑人——大安達曼人，在

親友死後會進行悼念，必須要戒食。

巴西

他們認為人死好比黃葉落下，所以忌諱棕黃色。

埃塞俄比亞

埃塞俄比亞人為對死者表示深切哀悼時，會穿淡黃色的服裝，平時是絕對不會穿的。

泰國

由於逝世的人，姓氏會用紅色字寫，所以泰國人平時最忌紅色，認為紅色不吉利，所以平時絕不會用紅色筆來簽名。

中國

中國的喪葬禮儀相當繁雜。沿襲到現在，比較流傳的忌諱有：

1. 忌穿華衣。弔喪時主要穿黑、白兩色的服裝。如果有人不幸死了，還穿得花花綠綠，就會被視為對死者不尊敬。
2. 忌舉行宴會。家人或親戚朋友家不幸有人逝世，一般盡量不會舉行宴會。
3. 忌高聲大氣，吵吵嚷嚷。
4. 忌出遠門。家中老人病故後，如喪期不滿，做子孫的都要盡量留在家服喪，如沒必要，不要遠行。

奇異殯葬話你知

不同國籍文化的人，會有不同的殯葬習俗。有一些習俗與日常生活有關，像古巴人平日不會戴帽子，因此他們有戴帽悼亡的習俗。如果大家在當地旅行時戴上帽子，他們會以為你的家人過世了，可能會上前慰問你！

其實世界上還有很多鮮為人知的殯葬習俗，以下為大家介紹一下：

1. 戴帽悼亡

戴帽悼亡是古巴熱那河流域盛行的習俗。在當地，不論男女，無論刮風下雨，一概不會戴帽子；只有在親人去世，家庭成員才會戴上帽子一星期，表示悼念。

2. 冰葬

在北美的愛斯基摩，殯葬稱為冰葬！當地的老人患重病後，為了不想成為家庭的負擔，會在臨死前，對家人說自己年老困倦，想要睡覺，需要一張獸皮。這時家人便會明白，並立即準備一個冰洞，讓老人躺進去，再為老人蓋上獸皮，然後離開冰洞，再用冰塊封住洞口，讓他在洞中自然死去。之後家人會在冰洞上方挖一小孔，這樣死者的靈魂才可離開冰洞和升上天堂。

3. 架船天葬

這是大洋洲一帶地區通行的葬禮。當地居民將「天葬」與「水葬」結合起來，人死以後，屍體會被加以裝飾，放

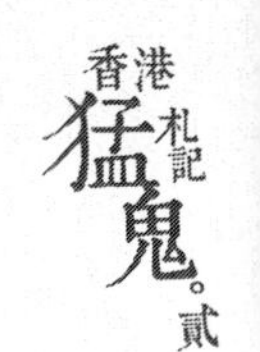

到一隻小船之中，然後將這盛屍的船架在樹上，實行天葬。

4. 洞葬

洞葬是馬里多貢族人的習俗。多貢人世居山區，村落的某一處山岩會建有以石塊壘成的小型尖塔，塔旁則是山洞，用以安葬死者的屍體。多貢族人的屍體既不蓋土，也不會火焚。舉行洞葬時，親友鄉鄰需一同攀上小塔的山頂，並用繩子把屍體拉上去，再吊進山洞裡，洞葬就完成了。

5. 婚禮中有「葬禮」

在法國有個小鎮，人們結婚時，必須同期舉行葬禮（當然是假的）。男女的婚姻在得到雙方家長同意後，會在女方的家中舉行訂婚儀式，之後男方家長需於訂婚宴上當眾贈給未婚新娘戒指或珠寶。女方在婚前要把嫁妝送到男家，婚後要與家公、家婆一起生活，不得搬走。在婚禮舉行時，酒席旁邊會擺出一副空棺材，賓主互相碰杯痛飲，歡聲笑語不斷。到婚宴臨結束，會場會奏起哀樂和點燃白蠟燭，舉行安魂祈禱儀式。

待儀式結束，新郎新娘會走在棺材之旁引魂，賓客在後尾隨。當來到河邊後，他們會將棺材扔進河裡，或將棺材埋在土裡，這表示童年的結束和與單身生活告別。

6. 一墓兩碑

美國阿米族人平時穿一身黑色衣服，而死後會被換上白色衣服。死者會在家裡停放三天後才埋葬。在墳墓上會立有兩塊石碑，一大一小，大的立在頭部，小的立在足部。

7. 死前懺悔

墨西哥阿斯特克族的老人在離開人世前，要向祭司懺悔，把自己一生中所犯過失，甚至罪惡全部都說出來，以求得神的寬恕。平民百姓可到祭司的家中懺悔，富有人家則會請祭司前來家中懺悔。懺悔的日子越接近死期越好，在懺悔前，懺悔者把香料放入香爐中，並用手指觸地，表示向火神大地宣誓，接著開始敘述自己的一生，交代自己所犯一切過失。懺悔完畢，祭司要對懺悔者進行懲罰，用多支尖銳的木刺刺穿他的舌頭，有時木刺多達八十根！懺悔儀式過後，懺悔者會如釋重負，不再擔心死後受到懲罰，可安心上路了。

8. 絕屍葬

在大洋洲一些小島上，當地人認為死人會化成精靈，那些精靈會在村中游盪、作祟，影響活人的生活。因此準備下葬時，人們會將屍體加以捆綁，有的是用繩子把死者腳指綁纏，有的是用蓆子把屍體包裹扎縛，才埋入墓穴，這樣死人的精靈就很難出來擾亂村民的生活！

搵樓 / 家居禁忌

你總覺得諸事不順？源頭很可能是家宅風水出現問題！大家在買樓 / 租樓 / 搬屋 / 入伙 / 裝修前，先讀讀這個章節，未雨綢繆！有備無患！

1. 搵樓必知大禁忌

很多想置業的人士去睇樓時，只會著重屋內的間隔用料和實用面積有幾多等等，卻往往忽略屋外的環境！

其實，一間屋是否稱得上風水好屋，屋外的環境因素十分重要！如果你不幸買入一間風水差的單位，輕則多阻滯、多口角，重則易有生命危險！

有人就是因為貪平，買入了一間凶屋，結果妻離子散，更陷入失業的危機！想入住新居後一帆風順？立即看以下禁忌，避免入住凶屋，惹來一身蟻！

1. 最忌露風煞

露風煞單位是指一棟高樓，周圍被低矮的樓宇包圍著，這棟高樓即受到露風煞沖射，主容易耗財破敗，宅主有暗疾。此種大樓有極大缺陷，因獨自高聳，被風吹得更厲害，住客的人際關係極孤立，與人難相處。妄自尊大、易招小人，無論家運、事業將會逐漸沒落。屋主會變得貪慕虛榮、奢侈，最後負債累累。

↑這棟高樓受到露風煞沖射，容易耗財破敗！

2. 最忌天斬煞

若單位面向兩幢高樓大廈，而兩幢高樓大廈之間有一條狹窄空隙，在風水學上稱為「天斬煞」，因為形狀仿如用刀從半空斬成兩邊，如果房屋面對天斬煞，會經常有血光之災，如車禍、開刀和官非等，事業失敗，疾病多。

3. 忌對住天橋旁邊

如果單位對住天橋邊，住客經常飽受噪音及長期的震動，易造成精神衰弱。如果單位剛好位於天橋迴轉處，這有如鐮刀攔腰切來，危害更大。若有兩條高架橋交叉而來，一上一下，形成如剪刀之勢，位於剪刀口上的住宅更是大凶之象，對住客身心皆有害。這樣的單位價錢幾吸引都無用！

4. 尖銳立物要避開

尖銳多角的大型景觀雕塑，或者樓房的房角對正你的單位，沖煞嚴重，特別是近距離的門窗，影響更大！

5. 馬路忌衝正門

門前對正一條馬路直衝住宅，是為大凶，有血光之災。嚴重的有生離死別之苦，實在不是好兆頭。

6. 門前枯樹多病痛

單位的大門前絕不可有大樹！因為大樹在門前，不但阻擾陽氣生機進入屋內，屋內的陰氣也不易驅除。除了門前不宜有大樹阻擋外，有枯樹也不好，即使是一棵小小的枯樹，對家宅都不利，特別是對家中長者。因為枯樹沒有生機，代表著死氣。

↑門前見枯樹，身體多病痛！

7. 近惡氣不可選

家宅近旁有化工廠、儲存危險物品的倉庫、加油站、變壓器、地下停車場。或者，大門對著法院或警局、醫院、殯儀館等，都會受到不良之氣影響。

此外，地下停車場是地氣下瀉之處，低層住家或商店大門靠近入口，勢難聚氣，住宅單位無論事業和姻緣都難獲得發展。

8. 最忌朱雀煞

朱雀煞即兩家大門對正，此宅家庭會失和，更會影響財運。

↑兩家的大門對到正，隨時鬧大交。

9. 反光衝射最不吉

現在安裝玻璃幕牆的大樓越來

越多，如果被玻璃反射的光線直射家中，就會好「燦眼」，風水稱為「光煞」，或稱「暗火煞」，會導致口舌是非、身體受損，甚至會有手術、血光。此外，更會令人精神彷佛，記憶力衰退，病痛較多。

10. 最忌穿心煞

在住宅門口的中央或窗口有電燈柱、電線桿正立著，稱之對堂煞，又稱為「穿心煞」。住此宅之人，會破財耗敗，易招口舌是非，及有生離死別之患，不利主人。而宅內各人容易患上心腹等病。

11. 獨矮樓運勢難伸

如果四週高樓，唯獨自己所住的大樓低矮，勢必遭受壓制，運勢難伸。這種格局成為困局，有志難伸，理想都化為泡影，屋主更會事業不順，常受到別人的排擠。

↑穿心煞對屋主大大不利

12. 忌對著高速公路

在風水學上，道路象徵財富，如果間屋的窗口或門口，對著一條高速公路，代表財來財去，很難聚到財富，即是話就算你幾搏命搵錢，都會無錢剩。

13. 忌對著長直路

若窗口或門口對著一條很直、很長的馬路，風水說「一條直路一條槍」，易有健康問題或血光之災。

14. 忌對正垃圾房、堆填區

這些地方經常發出惡臭氣味，風水稱之為「味煞」，影響健康及多家庭糾紛，容易引致夫妻或與子女不和，姻緣運都會較差。

15. 忌對著三尖八角建築物

三尖八角型的建築物屬「火」，若加上這些建築物是紅色，而你居住的樓宇對住這些建築物，代表易有火災發生，情緒也較煩躁，以及心臟血管易有毛病。

16. 忌太近消防局、醫院

間屋對住消防局，消防車出口處，為「白虎煞」，容易招來橫禍。若對住醫院，經常有病人進出，帶動病氣磁場，影響家人健康，身體較多病痛。

17. 忌對正廟宇

住宅前忌有廟宇、神壇和教會等建築物，因為這些都是殺氣太重的地方，陰氣凝聚之處，如果承受不起，便會有人口傷亡或血光之災。住得太近寺廟，單是聲浪和煙薰已經難受了，家庭生活不安，婦女常遭鬼怪作祟。

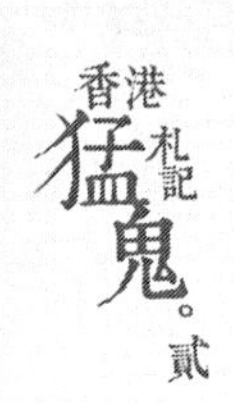

2. 搬屋及入伙的禁忌

當你高高興興入住新居時，千萬要小心搬屋及清楚入伙的禁忌！你也不希望花了一大筆錢入住新居後，卻事事不順，甚至慘遭橫禍！

如果覺得你搬進新居後諸事不順，那你就要留意是不是入伙時不小心打破禁忌，以致頭頭碰著黑！

有人就是選擇夜晚才入伙，結果招入了陰邪之氣，令屋主三日唔埋兩日就入醫院，又或是家有白事，總之要幾黑就有幾黑！

你最近想搬屋了嗎？還不看以下禁忌，幫你趨吉避凶？

裝修動土擇吉日

無論是住宅或商舖、寫字樓，裝修、搬屋、入伙都要擇日，以求一切順利，避免意外，搬遷後出入平安，財運亨通。大家可看《通勝》，選擇以下的吉日：

宜選擇「天德、月德、合日、歲德、時德、除日、建日」等吉日。注意：勿取用與屋主人生肖相沖的日子。

入伙、搬屋：宜選擇「天德、月德、合日、三合、六合、歲德、時德、天貴、金堂、福生、歲馬、生氣、麒麟、成日、開日」等吉日。注意：勿取用與屋主人生肖相沖的日子。

搬屋有禁忌

1. 忌在晚上搬屋，最好在天黑前將物品搬進屋內，免招惹陰邪之氣入新屋。

2. 忌有孕婦在搬屋現場，怕衝撞胎神。
3. 如果家有安神（包括祖先、地主），搬進去之前，最好先搬神位到新居。搬神位也要擇吉日良辰，有助新宅興旺，人口安康。
4. 很多人搬屋的時候，連舊家具及床一同搬去，若是買新床到新居，最好先擇吉日安床。
5. 如請人幫忙，最好是屬雞或屬龍，取其「起家」和「龍鳳呈祥」之意。

新居入伙一定要做

1. 搬家前先將房子打掃一番，門窗打開兩三天，使空氣流通，引進吉氣。
2. 新屋入伙前可先「拜四角」，意思是禮貌地向新屋的土地神明打個招呼。做法如下：

· 燃點二十一支香，面向正門，由左手邊起，繞著全屋用香薰一次，包括廁所及廚房，心中默默禱告許願，祝福家宅安康，夫妻和氣等。

· 將薰過屋的香，在東南西北四個角落分別插三支香，大廳中央則插上九支，合共二十一支香。蠟燭方面，則每處放一對，合共五對，在單位中央或後樓梯焚燒衣紙，化完衣紙後，各種祭品不再取回。

· 用一支新買的掃把，打掃一下現場，掃除的方向是由大廳每個角位開始掃，將垃圾掃到大廳中央，再掃出大門口，此舉象徵把不潔的東西掃走。

至於「拜四角」祭品如下：

1. 生果一個、花生一堆、糖果五粒及連皮毛的肥豬肉一小件。祭品擺放在大廳的四角及中央，合共五份，大廳中央要特別加放燒酒三杯。
2. 到紙札舖買一套四角衣，如單位較為陰暗潮濕，則要買多些溪錢、金銀元寶，天神衣及地主衣各一套，這樣可以燒旺家宅，除去霉氣。

入伙注意事項

搬入新屋的時候，俗稱「入伙」，以前較隆重，親朋戚友會到來慶祝一番，送上心意禮品祝賀，主人家大宴親朋好友，甚至會在門前放鞭炮，驅除妖邪，迎來吉氣。現時大部分人一切從簡，會找搬屋公司將舊物品搬到新屋便算了。但即使一切從簡，以下的禁忌大家都不能忽視：

1. 搬入新屋的時候，忌兩手空空，如果沒有安神，最好自己拿一桶米入屋，米桶內放兩封利是，代表搬入新屋後，大吉大利，豐衣足食。
2. 入伙當日即使不在家裡開飯，但也要煲一煲滾水，開動風扇或冷氣機，寓意「風生水起」。
3. 如果有安神位或祖先，入屋後各人上香，以求得到神靈、祖先的庇佑。
4. 如果入伙當日小朋友不小心打爛碗碟或其他物品，大人可以說一句：「落地開花，富貴榮華」。切勿責罰小朋友，若孩子哭哭啼啼，會影響家宅運。
5. 在新屋應用新掃把，勿再用舊屋的掃把。

3. 唔知實撞板的租屋禁忌

雖然現在租金昂貴，但樓價更貴！所以香港人通常都會租屋來住，但原來，除了要揀間價錢平的屋來租，也要考量租屋的禁忌！

平嘢又點會好！

之前，有一戶人家就是貪住宅夠平所以不經思量就付出 3 個上期及按金，但原來這個單位之所以平，是因為近墳場，陰氣過盛而無人居住！而且他們租入的那一層樓數竟然只有他們一個單住有人住！人少陰氣盛，又近墳場，自然陰上加陰。這家人住了不久，便發現家中的小孩時常自言自語，而且家宅不順，他們才知道中招，趕緊執包伏走人！

所謂便宜莫貪，凶宅俾你都唔好要！以下會為你講盡租屋的大禁忌，之後看單位時記謹要遵守以下禁忌！.

1. 不貪便宜

低於市價的單位，必有其原因。如單位在風水上不利住人，或者曾經死過人，甚至是結構有問題，筆者建議大家便宜莫貪。

2. 不見符紙

屋內如看見符紙，不理房東如何砌詞，最好不要入住。

3. 不鄰病家

若同屋住客中有久病或重病之人，最好都不要搬進去

住，免得惹穢氣上身。

4. 不近廟神

如屋內有神壇，或單位太近廟宮神祠，因為陰氣太重，都屬陰煞之地，一般人最好不要太靠近，否則輕則運勢低落，重則大病纏身。

5. 不靠墳場

單位最好不要靠著墳場，最好要有一百公里以上的距離，如屋宅四周人氣旺盛，倒還抵得住煞氣。但如果四周又荒無人煙，最好不要住進去為妙。

6. 不住暗宅

屋宅太暗，容易招邪；白天開窗屋內仍陰暗之宅，屬陰氣過盛，陽氣不足之地，大家最好謝絕入住。

7. 不生邪念

如果大家正在處於迷惘、失戀、情緒低潮時，最好不要去睇屋租屋，此刻你最容易撞鬼的。因此，時常保持心境開朗，才是辟邪保身之道。

8. 不住孤宅

所謂孤宅，是指屋宅四周只有你一座樓宇；或者一棟大樓裡，只有你一戶人家；因人少陰氣勝，也不利於人住。

9. 不靠深山惡水

租屋最好不要在深山惡水邊，因這些地方容易聚集死於意外的孤魂野鬼；就地勢來說，也是鬼氣勝過人氣，除非是一家人共住，否則單人獨住，易招邪物！

4. 必讀家居風水禁忌

無論揀樓自住或是租屋，都一定要謹記以下的風水禁忌！如果不小心買入或租入犯禁的單位，即使你命格有多硬，也一定非死則傷！

風水禁忌絕對有根據

你以為這些風水禁忌只是古代人迷信才會製造出來的嗎？那你就大錯特錯了！

↑橫樑壓頂會令人精神緊張

橫樑壓頂你聽過了沒？睡在橫樑之下，很容易會對你的精神造成壓逼感，隨時影響身體健康及事業運！

究竟除了橫樑壓頂之外，還有甚麼家居風水禁忌？以下將為你講解數十個不可不知的家居風水禁忌！

1. 風大不適宜

各位在購樓時，應該先在房屋周圍巡視一番，看看附近的環境是否有缺陷？首先應該注意風勢。如果發覺房屋附近風大，十分急勁，那便不宜選購了，因為即使那房屋真的有旺氣凝聚，也會被疾風吹散。風水學是最重視「藏風聚氣」的，這表示風勢強勁的地方肯定不會是旺地！

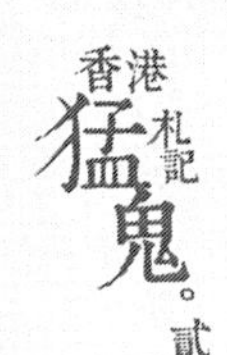

但要留意一點，風過大固然不妙，但如果風勢過緩，空氣不大流通，那也絕非安居之所！最理想的居住環境，是有柔和的輕風徐徐吹來，清風送爽，這才符合風水之道。

2. 陽光不足陰氣重

陽宅風水最講究陽光空氣，所以選擇房屋居住，非但要空氣清爽，而且還要陽光充足，若是陽光不足的房屋，容易積聚陰氣，導致家宅不寧，實在不宜居住。

3. 廁所不宜設在房中間

這是指房屋的中間部位不宜用作廁所，這就有如一個人的「心臟」堆積了廢物，自然是凶多吉少了。如果廁所與大門成直線，亦很容易導致破財損丁。

4. 馬路直沖難安居

↑屋外見馬路直沖，居不安寧！

風水學是喜迴旋，忌直沖，因為直沖的來勢急勁，如果居所被街巷直衝，為患甚大，不可不慎！故此各位前往選樓時，不妨先在房屋周圍看一番，看看房屋的前後左右是否有街巷直沖的情況出現，若房屋的大門對正直沖而來的馬路，那條馬路越長便凶險越大，車越多則禍越多，因此有人稱之為「虎

口屋」，表示難以在其中安居。

5. 睡房對正廁所惹穢氣

廁所是供人排洩的地方，容易產生穢氣和濕氣，如果對正睡房，對人的身體健康有害。

6. 房間近廚房影響健康

廚房爐火煎炒、排出油煙，容易影響對正的房間，危害人體健康。廚房是生火之處，甚為燥熱，所以也不宜與睡房相鄰，尤其是睡床緊貼爐灶的牆。

7. 房門對鏡招惡運

鏡子有反射作用，在風水上可將煞氣反射回去，所以可擋凶煞。但是鏡子對著房門，會將凶煞照進睡房，招來惡運。

8. 鏡子忌對床

鏡子是用來擋煞，作用是把煞氣反射回去，所以不可對床。

9. 床頭忌對正房門

睡覺時最講求安靜和穩定，房門是進出房間必經之地，出出入入會令人睡不安寧，有損健康。

10. 床頭忌在橫樑下

天花板宜平坦，忌有橫樑，易造成精神壓力。

11. 床頭宜靠牆

床頭宜靠牆、避免露空，否則睡在床上的人，容易精神恍惚、疑神疑鬼，影響健康及事業。

12. 床底要保持清爽

床底必需保持清潔，不宜堆積雜物，保持空氣暢通，減少地面濕氣滲透入床墊而影響健康。

13. 睡房擺忌過多的植物

過多的花草植物容易聚集陰氣，並且植物於晚間吸收氧氣、釋放二氧化碳，容易影響人的身體健康。

14. 電器不宜對正床腳

睡房內電器如過多，在風水學上被稱為「火宅」，電器的輻射也會損害人體健康，例如電視若對正床腳，輻射更容易影響人的雙腳的經絡運行及血液循環。

15. 睡房面積忌貪大

風水有「屋大人少，是凶屋」之說，認為「大房子會吸人氣」。其實風水中所說的「人氣」就是現在時常說的「人體能量場」。

人體是一個能量體，無時無刻不在向外散發能量，好似冷氣機一樣，房屋面積越大所耗損的能量就越多。因此，睡房面積過大，會導致人體因消耗過多能量而免疫力下降、無精打采、判斷力下降、做出錯誤決定、甚至「倒霉」生病。

16. 床上方忌裝吊燈

睡床正上方的天花裝有吊燈稱為「吊燈壓床」，煞氣很重，會引致失眠、惡夢、呼吸系統急病等一系列健康問題。

17. 睡房忌朝東或朝西

睡房如朝東或朝西，早上或下午猛烈的陽光會導致睡房內光線過強，刺激人體的神經，影響休息，導致失眠。

18. 睡房色調忌太過鮮艷

睡房的色調以素雅、溫暖為宜，切忌太過鮮艷，也不要布置得琳琅滿目，過度豪華，閃閃發光的飾物尤為不宜。

19. 家裡宜栽種常青植物

常青盆栽有利家運，也是很好的室內飾物，但務必選擇常綠、生命力強，不易凋謝的植物。

20. 入門要見客廳

現代的建築設計，有時為了考慮空間的配置，一進門往往先見到廚房、餐廳或廁所。這是陽宅的大忌，也不合常理，居住其中，家運必衰。因此睇根時，要留意是否入門即見客廳。

21. 不規則房間忌作主人房

不規則的房間不可用做夫婦主人房，會導致久婚不孕。

22. 不規則房間忌作廚房

不規則房間不可做廚房，會影響家人健康，只可做儲物室。

23. 橫樑壓頂影響健康

橫樑壓頂，影響情緒與健康，橫樑最忌壓在床頭、書桌及餐桌上方，如實在無法避免，也要設計假天花，將之擋住，否則就會影響居者的情緒與健康，事業運亦會受阻。

24. 廁所對床招惡疾

廁所對床，當心惡疾，主睡房中，除了床不可對正廁所之外，側對亦不吉，容易使人罹患嚴重惡疾。

↑廁所如對正床，當心惡疾！

25. 床頭掛大畫非死即傷

床頭不宜掛大畫，床頭置畫可以增加睡房之雅意，但以輕薄短小為宜，最忌厚重巨框之大畫，易生血光之災！

26. 浴室忌陰濕不潔

整潔的廁所才能留財，廁所是排污之所，最忌陰濕、不潔、有異味，如能保持清潔乾爽反而能留住財氣。

27. 廁所在走廊盡頭乃大凶

廁所設在走廊盡頭，大凶，屋內如有走廊，廁所只宜設在走廊側邊，不可設在盡頭，否則大凶。

28. 暖色燈光利夫婦感情

睡房宜用暖色燈光（例如橙、黃色），有利夫婦感情。

29. 睡房忌昏暗

睡房應設有窗戶，除了空氣得以流通，白天更可以採光，使人精神暢快，而晚間窗戶應備有窗簾，擋住戶外的夜光。

娛樂禁忌

72 行，行行有禁忌！很多初入行的新丁唔識死，竟然以身試鬼，這如同玩命！

1. 住宿旅館的禁忌

一般酒店旅館都有幾十年至幾百年的歷史，見盡幾許滄桑，歷盡幾代人的生與死，許多眷戀塵世的靈體都會停留在此！大家在入住酒店旅館時，要小心犯禁！

好像幾年前，Amy 和男朋友跟團去了泰國旅行。他們兩人被安排到該層的尾房入住，兩人入到房看到有一本攤開了的聖經放在茶几上，居然不知這就是代表有鬼！

他們繼續待在房內，Amy 更還手多多，伸手去翻聖經！結果到晚上，房間內不斷傳來詭異的敲打聲、求救聲，電視還突然開啟，他們更隱約看到在沙發上有幾個白影看電視！他們嚇得衝到導遊房，導遊馬上安排他們轉房，他們才能好好睡一晚。

Amy 和男朋友就是犯了禁忌，才令靈體誤以為他們要霸佔了它們的空間，現身教訓他們！到底兩人犯了多次住宿旅館的禁忌呢？看看下方，你會找到答案……

1. 睡覺前忌張開窗簾

玻璃易招來陰界之物，所以睡覺前窗簾一定要拉上，以免半夜看到窗外有「人」望著你……

2. 避免入住床頭對鏡的房間

床正前方或正側邊不可有鏡照著，因入睡後，自己的靈魂會有「跳動」現象，可能被鏡中物嚇到。如果半夜去廁所鏡中的反影都會令大家虛驚一場，以為室內有另一人……

3. 房裡見聖經要立即換

到東南亞國家旅遊，一但看到房間任何地方放有一本聖經，千萬不要碰聖經，更應該馬上要求換房！因為房屋內放有聖經代表著那間房有發生過靈異事件，房內的靈體不願離開，唯有靠聖經壓制那些靈體的行動。

↑酒店房裡看見聖經，最好就立即換房！

4. 忌住尾房

酒店尾房盡量不要住。因為依風水上來說，尾房由於陽氣弱、人氣不足，是鬼魅入侵的首要通道。另外，房間的窗外鄰近大樹或貼近另一座大廈，因長期讓房間處於幽暗，自然也就是鬼魅聚集之所。

↑酒店尾房長期間處於幽暗，是鬼魅聚集之所。

5. 忌睡在地上

一般來說，床有床母或床神，可保護床上的人並令人安心，只有往生的人才不需要躺在床上。因此在外住宿時，如果房內有床就最好睡在床上，不要睡在地上。

6. 入房前先敲三響

住進飯店房間前，最好先在房門前敲三響。走進房裡要說聲「唔好意思」，以表示尊重。如果該地方有靈體停留，它會知道你只是暫住，也不會騷擾你。

7. 佛像要向窗外

如果大家隨身攜有佛像，進入房間後，最好馬上將佛像懸掛於房內並朝窗外，因為向外的佛像可招佛，向內易招內神通外鬼，反而導致鬼事連連。

8. 門窗忌打開

入夜後，聽到門窗有聲的話不應立刻打開，因為鬼魅可藉一陣風或氣流趁虛而入，讓人整夜不得安寧。

9. 馬桶忌積穢氣

穢物、穢氣最容易引邪，所以上完廁所後，要立即沖淨馬桶並蓋上馬桶蓋。

10. 浴缸忌蓄水

在檢查房間期間，發現浴室浴缸有蓄水的話，那就應該提出換房要求，因為水面如鏡能變成鬼魅進出的大門，這個房間可能已經請了不少鬼進來！因此，在入住期間也不應整晚蓄水在浴缸內。

另外，入睡前不妨開小燈，因為全黑的暗夜是邪靈顯形以及聚凝力量的最佳環境，一旦房內陽氣耗盡，自然怪事連連。

11. 衣物不應掛牆

單薄衣物不可隨意掛在牆上，所謂有形就有靈，飄忽不定的衣物易被鬼魅看中，附身在衣上，自己也容易被嚇到。

12. 玩偶絕不外露

旅遊途中購買的玩偶不宜立刻拆開外露房中，因玩偶有人之形，外露房中容易被附上邪靈之氣，結果帶回家後，引來許多麻煩。

2. 買手信都有禁忌

環遊世界是許多人的夢想！即使不能環遊世界，來個短途的旅遊也是人生一大樂事！為了與同事朋友分享旅途的快樂，大家回程時都會買點手信，但買手信時要小心，要留意不同國家的禁忌，以免害人害己，後悔恨遲！

亂買手信險害死人

曾經有個法國人在蘇格蘭旅遊時，把一小瓶蘇格蘭的泥土帶回家，打算作收藏之用。結果當他上機後，才剛離開蘇格蘭的領空，便覺得渾身麻痺。到下機時更動不了！他及時想起有關於蘇格蘭領土的詛咒，便馬上請求下一班飛向蘇格蘭的飛機機師，幫他把行李內的泥土送回蘇格蘭。結果在下一班飛機飛至蘇格蘭領空後，那名法國人的手腳馬上能動，行動自如。所以，以下手信你絕不能買，更加不能送！

1. 取走夏威夷沙石無好下場

其中最危險者，莫過於夏威夷的沙石。當遊客到臨，夏威夷的旅遊局已有告示板寫上「切勿取走夏威夷境內任何沙石」，許多遊客都只會以為是環保原因，不要破壞大自然環境而已，但其實是因為夏威夷族人的一個毒咒！

話說夏威夷幾千年來都是一個印第安王國，直到昔日白人入侵夏威夷的領土，其中一位被殺皇族成員在臨死時落下詛咒：

「任何取走夏威夷土地的人，必沒有好下場！」

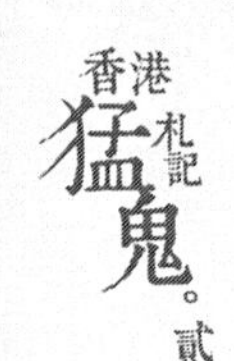

現時，旅遊局每天都收到來自各方的石頭，它們都是被旅遊人士偷走，發生事故後寄回，而且寫下他們的故事。

據說，有一對美藉夫婦到夏威夷旅遊，並在火山島取了一塊石頭回家，沒想到回家當天丈夫就在街角被汽車撞死，後來得知這詛咒的太太慌忙把石頭寄回夏威夷旅遊局。

另一個案是有個年輕人在夏威夷取了一樽沙，回到家一星期後，他在駕車時忽然眼前一黑，結果撞了車，雙腳斷了。他朋友到醫院看他時，問他是否取了夏威夷的沙石，年輕人點頭稱是，朋友立即替他把沙石寄回，他才沒有再遇上其他意外。

又聽聞有人取走了夏威夷石，結果，那次在旅行中拍下的照片，所有菲林在沖曬後才知道通通曝光，沒有一張可以成功曬出，心血全部白費，後來他知道這毒咒便即把石頭寄回。每個取走石頭的人所受的懲罰都不同，大家切勿明知故犯啊……

2. 蘇格蘭石頭的怨咒

另一個亦有石頭詛咒的地方是蘇格蘭，話說，古代的蘇格蘭勇士在戰死沙場時都落下詛咒，不許外人取走那裡的土地，尤其是昔日英格蘭人常常入侵，令怨氣加強，故詛咒一直延續至今天。

3. 唔好買錯西藏死人骨

到西藏或尼泊爾旅遊的人，總喜歡在街上的小販攤檔購買些小精品，例如小樂器、小盒、小碗等等，但有些小精品是昔日西藏巫師或貴族用奴隸人骨所造成的，例如碗是人頭骨，小號角可能是人腿骨，小盒可能是盆骨，買了你也不知道。萬一你當手信送給朋友，就真的多得你唔少了！

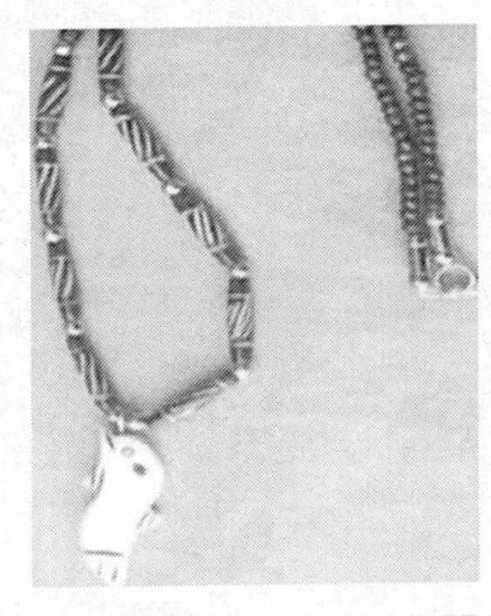

↑送西藏死人骨比朋友？真係大吉利是！

4. 日本娃娃很惹鬼

在日本許多寺廟及神社的殿內殿外，都不時會有善信送來舊公仔，或是販賣各種舊的公仔、玩偶，尤其很多是日本傳統公仔，不過大家千萬不要買。這是由於日本人深信那些公仔已有靈性，應該給寺廟火燒掉或供奉在廟內，否則有靈性的公仔會令家人遭到不測。所以日本人通常不會在跳蚤地攤買舊的洋娃娃或公仔，以免惹上靈體。

↑傳說日本娃娃很易招惹靈體

據說，之前有一名初到日本留學的中國少女，因為見神社外的舊攤檔有一個很可愛的貓玩偶，結果她買了回宿舍，準備寄回中國，送給她的妹妹。怎知道當天半夜，那個貓玩偶居然動起來，還伸出爪子把她抓傷，嚇得她綁起了那個玩偶，待隔天早上馬上把玩偶送到神社，祈求玩偶上的邪靈不要出現。所以大家去日本旅行時，最好不要在地攤買舊的公仔。

5. 土耳其邪眼—邪中之王！

中國人相信一些物質，例如玉可以辟邪保身，中東國家的居民也相信這種說法。不過他們辟邪的寶物非常特別，他們的寶物以藍圈白底襯著黑珠子，給別人一種神祕又詭異的感覺，他們稱之為「邪惡之眼」。「邪眼」在土耳其及鄰近區域十分常見，是家家戶戶必備的護身符，亦是土耳其最出名的手信，可是有些「邪眼」卻是最邪的東西！

↑大邪王：土耳其邪眼！

土耳其人相信「邪眼」可將眼前的噩運避開，且帶來順利與好運。「邪眼」爆開代表它已替你擋了一劫，爆了的「邪眼」要棄掉，但一些心地不好的人會賣給遊客，遊客把爆開的「邪眼」戴在身上會招來邪氣，禍事不斷！

6. 埃及黑貓神像咒死你

古埃及人奉貓為神明，特別是受法老王寵愛的貓更令人崇拜。在法老王死後，祭司會仿照牠製成黑色石像放於法老王墓中，並施下詛咒，只要盜墓者把石像拿走便會遭受惡運，大家到埃及買手信時一定要注意！

↑送埃及黑色貓比你最憎的人就最好不過

3. 環遊世界的禁忌

各國民俗風情不同，一個不小心，例如用錯手勢或表錯情，輕則對方會會錯意，重則犯了當地禁忌，成為不受歡迎人物，敗了雅興。例如，在中國送鐘給別人是不禮貌的，可是這點只有中國人知道，外國人並不清楚！

亂摸頭招殺身之禍

又好像有個港人到北歐地區跟團旅遊，在自由活動時間看到一個小孩子，覺得很可愛，便輕摸他的頭一下。哪料到了集合時間，也沒有看到那個人回到旅遊巴，眾人心煩氣躁，下車找他，竟發現他身首異處！原來在當地，摸別人的頭是會被殺死的！他的一個舉動，為他招來殺身之禍，更令他客死異鄉！

到你前往外地旅遊時，你會不會變成一個「送錯不幸禮物的外國人」呢？為了當一個好旅客，一些當地文化一定要搞清楚。

1. 忌亂出手勢

一般社會中，豎起大拇指表示稱讚對方表現卓越，是 No.1。不過在伊朗，豎起大拇指是一個猥褻手勢，意味「坐在『那裡』上面」。在土耳其與巴西，OK 手勢則是罵人之意，表示對方下流

↑亂咁豎起大拇指，小心被人打！

齷齪。所以，大家到伊朗、土耳其或巴西時，千萬別隨便豎起 OK 手勢。

2. 忌亂摸別人的頭

看見得意可愛的小朋友，我們會忍不住捏他一下臉頰，或者摸摸他的頭。但在信奉佛教的泰國，頭是靈魂之所，不可隨便亂摸。而在北歐地區，摸別人的頭更會招來殺身之禍，令自己身首異處，客死異鄉！

↑在自己國家摸人頭就OK，去到別人的地方，就唔好亂咁摸啦！

3. 忌亂和人攀談

每個地方都有一些話題禁忌，例如在印度忌談女性嫁妝不足，或者在西班牙譴責鬥牛等。與當地人聊天，最好找些安全的話題，諸如食物、小孩、運動、美容與景點等包無錯！

4. 忌穿鞋子入廟

在日本等東方國家，進入室內或廟宇前，一定要脫鞋，以免把髒物帶進室內或廟宇內。

5. 忌亂送花

不可亂送花給別人！在德國、波蘭、瑞典，千萬別送康乃馨，在比利時、意大利、法國、西班牙、土耳其等國，菊花則是禁忌，因為康乃馨與菊花都是喪禮用花。

而玫瑰代表的意義也因國而異，在法國、奧地利，紅玫瑰代表浪漫；不過黃玫瑰在墨西哥與智利，代表離別。

在烏克蘭，如果你打算送花，一定要確保花朵總數是單數，因為雙數的花束是送到葬禮上的。如果你要為了慶祝生日或其他特殊節日送花給別人，不要送黃花或復活節百合，因為這些花也是為葬禮準備的。

6. 忌亂送禮

送禮是一門學問，因此送禮給當地人前最好問問其他人意見。在中國，送鐘即係送人終，大吉利是！在阿拉伯國家，豬和狗都是不潔淨的動物，因此不管你送他的酒瓶皮套有多華麗，只要是豬皮製，都是在侮辱受禮者。

7. 忌敬酒時自顧交談

北歐、俄羅斯、前蘇聯加盟共和國，敬酒是一項非常莊重的行為，舉杯時最好眼睛看著主人。在俄國，敬完酒後須一口將杯中的伏特加飲盡。在喬治亞和亞塞拜然，有專人主持敬酒，整個過程往往耗上數個小時。敬酒時，如果和身旁的人交談或逕自獨酌，將會遭到責罵或白眼。

8. 筷子忌插在飯中央

在中國與日本，用筷子有一套禮儀，不可用筷子指人。在使用筷子時，要握在上方三分之二處，千萬不要把筷子當叉子用，也不要把筷子分開來擺在餐具兩邊，將尖端指向別人。最糟糕的莫過於將筷子直插在米飯上，這樣做會讓人聯想到喪禮儀式。

9. 忌亂接吻

在英國的柴郡，火車乘客不允許在月台逗留或親暱話別，也不允許接吻。如果你真的有很多離別的話要說或想要接吻，你可以去接吻區域。

10. 忌亂撒鹽

在埃及，吃飯時不要加鹽，在碗裡撒鹽被看作是對廚師的侮辱。其實由於埃及人烹飪時經常使用大蒜、洋蔥和其他香料，所以埃及的食物口味較重，不下鹽也夠味道了。

11. 忌出錯 V 字手勢

關於「V」手勢的來源，據說起源於英法百年戰爭。法國揚言要砍掉所有英國人射箭的手指頭，結果最後英國大勝，英軍擺出手指來炫耀自己是完好無損的。

↑亂出錯 V 字手勢隨時比人打

因此「V」手勢對法國人來說是一個具挑釁性和侮辱他們的行為，盡量不用在法國做此手勢。但大家在其他地方擺出「V」手勢時也要小心，忌掌心向內，因為這被認為是挑釁或侮辱。

12. 參觀教堂

參觀意大利的教堂，不可穿短褲和穿無袖上衣。在教堂門口會有警衛或教友檢查，他們有權阻止你進入。

13. 忌侮辱國王

泰國人將泰王視為神靈，將其畫像作為護身符可給自己帶來好運。故此在當地時切忌侮辱泰王，一經定罪，會被判監！

14. 忌亂碰杯

在匈牙利敬酒時不要與他人碰杯，因為奧地利人曾經在殺害 13 個匈牙利烈士後碰杯慶祝。之後的 150 年之內，沒有任何一個匈牙利人在敬酒的時候碰杯。如果在當地碰杯的話，會冒犯到匈牙利人。

15. 不可冒犯牛隻

印度和尼泊爾人都認為牛是神聖不可侵犯的動物，故此在當地旅遊時身上最好不要配戴牛皮、牛骨衣飾，如有租車旅行的話在路上更是要小心翼翼，不要撞到牛！

↑印度隨處可以看到牛，小心撞到牠們！

此外最好也能盡量避免以牛為攝影對象，日常交談時也應避免談到吃牛肉的話題。

16. 女性不能碰僧侶

在泰國、緬甸等佛教國家的女性旅客要留意，由於當地有很多法律保障佛教，故而不要對佛像不敬。而最重要的是，當地的僧侶必須遵循佛教教義，絕對禁止接觸女性或被女性觸摸，所以女性遊客在任何情況下都應避免碰觸僧侶。

17. 到回教國家，女性要小心

如印尼、埃及等回教國家中，女性的社會地位低，因此在當地女性必須全身穿戴整齊，不可露出身體臂膀及雙腳，有些國家的女性甚至需用面紗遮臉，只能以一雙眼睛示人。因此在當地，遊客不應任意拍攝回教女子的照片，也不要隨便和當地女性搭訕，女性遊客也應多注意自己的衣裝與言行，盡量避免穿著背心短褲，以確保安全。此外，印尼一些少數民族認為照相或閃光燈是攝人靈魂的器具，拍照前最好能先詢問當地人。

↑回教女性一般比較保守

18. 一定要吃光碟上食物

在柬埔寨，如果你在被邀出席家庭聚餐時吃光了碟上的食物，這會代表主人沒有招待好你，令你還未吃飽。

19. 入清真去前要脫鞋

在入清真寺參拜時，一定要脫鞋及遵循穿衣風格。男士應穿長褲及長袖襯衫，女士則要圍頭巾及遮著身體的皮膚，把自己包裹著。如果沒有人帶圍巾，你亦可以在市集借到圍巾。

4. 打麻雀的禁忌

「小賭可以誼情，大賭可以亂性」相信人人都聽過這句話，可是有一種賭博玩意除了可以亂性外，更會招來邪靈，死於桌上，這就是麻雀！

由於麻雀本身就是陰邪之物，據聞古時製造麻雀的師傅需要很大的功力，在製作期間會把一個靈體困在麻雀內，只要製作師傅稍有分神，就會被麻雀的靈體所困！因此在大家玩麻雀時，實際上是把麻雀內的靈體釋放出來，它會根據玩家的運氣決定誰勝誰負。

因此，如果犯下以下禁忌，不但有機會牌運奇差，更可能賠上性命……

不尊重麻雀

很多人在玩麻雀時，不斷罵牌運差，又摔牌、發脾氣樣樣齊，結果到最後輸到一個仙都無！這就是緣於牌中靈體對玩家的態度不滿意，覺得玩家是在冒犯它，最後靈體會一直把爛牌發給牌品差的玩家，害他輸錢啦！更有指，當你發現「牌追人」時，只要你在心裡誠心道歉，牌運真的會好轉過來！

忌在漆黑環境玩麻雀

很多人都覺得奇怪，為甚麼就算在燈火通明的家裡及酒樓，還是要有一盞麻雀燈在枱邊，一直照著枱上的麻雀。

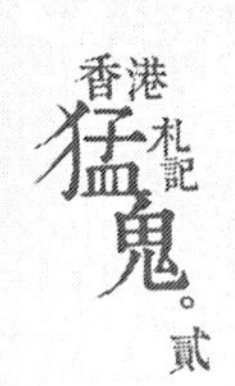

其實這是因為麻雀是不能在漆黑環境下進行的。

正如上文所說，麻雀原本就是由靈體操控的遊戲。牌內的靈魂會令玩家沉迷在內，如果玩家在過黑的環境下去玩麻雀，分分鐘會被麻雀入面的靈魂攝入麻雀體內，成為它的替身！

為了不令玩家打雀麻時出現意外，麻雀燈的作用就如「浩天鏡」一樣，照著麻雀內的幽靈，令其不能出來作惡。而且玩家在打麻雀時，會吸引很多遊魂野鬼現來觀看。如在太過黑暗的打雀麻，更有可能隨時見鬼。

曾經就是有一個女人，在跟朋友打牌時沒有開麻雀燈，結果她和一個雀友在打到西風時驚見身邊圍滿了一個個半透明的人，圍在她們，看著她們打牌，真是嚇餐死！

注意打麻雀的地點

所有陰氣很重的地方都不宜作打麻雀，因為這些地方都會有大批遊魂野鬼，一開枱時就會吸引到它們過來。例如：

1. 太接近墳場的地方
2. 殯儀館
3. 殮房
4. 陰暗的街道
5. 公路旁邊
6. 後巷
7. 荒廢的屋

打牌期間不應做的事

1. 不應在打麻雀前胡亂拜神及作任何通靈的行為
2. 不應在打麻雀期間突然將別人的死訊告訴其他雀友
3. 不應在打麻雀期間說靈異故事
4. 不應在打麻雀期間將視線望在麻雀枱以外的地方
5. 不應在打麻雀期間觀看陰暗的地方
6. 不應在打麻雀期間將自己手上的牌放在別方的位置上

絕不能出的牌章

1. 四人一同歸西

「四人歸西」是耳熟能詳的禁忌，如果大家與其他雀友一開牌時，手持西的話，那大家都不應把西牌打出來。萬一看到有一方打了出來，其他人亦不應跟牌打，以免出現連續打出四隻西牌的情況。假如真的打了，就會出現「四人歸西」的效應。除了其他西牌外，大家亦不應在西牌打出後，打出一筒，以免出現「一同歸西」的情況……

↑大我！打埋隻西同你攬住死！

據說幾年前，在台灣就有一群年輕人不信邪，四人一起打出西後，更打出一筒，結果在幾天內四人相繼意外身亡……

2. 自摸十三么要小心

十三么是奇牌誰都知道，大家都知道食十三么的人十分好彩，可是原來食十三么同樣也是最邪。如果大家手上的十三么叫糊時，應該先冷靜，避免分神，以免陰靈附身。此外，如此你自摸十三么的話，更要考慮清楚才食糊！因為十三么本是邪牌，單是食一次十三么，就有可能令你運滯足一年，何況自摸即代表是牌中的靈體要你食糊，可能它當你是自已同類，才讓你食十三么……

3. 天糊、地糊不要吃

天糊是種極高難度的糊牌！傳說是由牌中的靈體來安排，就如自摸十三么一樣邪門！如非必要，大家不應食天糊。就算是地糊，大家都不應吃，因為這都是因牌中靈體控制你食糊，分分鐘還控制了出牌的人……

4. 打旺不吃

所謂打旺，就是檯上麻雀已摸完，最後一個出牌的人竟然打出你要的牌，情況猶如海底撈月一樣！此時，大家不應食糊，因為這是身邊的陰靈整蠱你的雀友，要是你食糊會令他黑上加黑，隨時被陰靈「看中」！

5. 西風未完不能走

很多人打麻雀打到西風，就已經知道自己的運氣差，決定停局走人。可是，原來沒有打完完整的一圈就走，會為大家帶來不幸，因為大家記緊打完北風才停局。

詛咒禁忌。故事

故事 1：奪命掃描畫

阿宜和家人恰巧經過一間人像掃瞄畫的店舖，被廚窗外的掃瞄畫吸引住目光。

「小姐，要唔要畫一張人像掃瞄畫啊？」檔主親切地問阿宜。

阿宜很感興趣，便打算做一張自己的掃瞄畫。不一會兒，檔主已經畫出一張十分仿真阿宜的人像掃瞄畫。

惡夢接踵而來

阿宜把自己的畫像掛了在客廳，好讓丈夫和女兒經常都可以看到她的美麗容貌。可是，自從掛了畫像之後，阿宜的生活似乎漸漸出現變數……

「啊！」一聲尖叫在阿宜喉嚨中擦出，吵醒了在睡房中熟睡的丈夫阿俊。

「老婆？做咩啊？」阿俊連忙問剛回家的阿宜。

「無事……我頭先睇錯咗……」阿宜指了指牆上的掛畫。

可能是因為畫像的人物畫得太像真人了，有時候，阿宜半夜回家、或是去廁所的時候，都不其然會被畫像嚇到。阿宜的情緒一日比一日差，但她都只是以為自己工作壓力大，而沒有多加理會。

至到某天……她從身體檢查的報告中，得知自己已經患上第二期乳癌。

邪畫作祟？

自從阿宜確診乳癌後，身體一日比一日差，頭髮脫落的速度更是比一般癌症病人快。不足一個月，阿宜已經禿頭了，家人為了治療阿宜的病不斷尋找各種偏方。

某天，阿宜的父親找到了一個法師，想讓他為阿宜作福，以及看看風水。

當法師一踏入阿宜的家，看到掛畫後臉色一變，說：「唔好再掛幅畫出嚟……」

「點解嘅？」阿宜立即追問。

法師搖頭說：「在家中掛人像畫而已不吉利，因為人像畫會吸收人的陽氣，人像素描是黑白色做主調，跟遺照沒兩樣，這樣當然會影響運勢！」

阿宜和丈夫聽到，當天已經立即將掛畫收起，而阿宜的病情的確一度好轉。

但很可惜，過了幾年，阿宜最後還是不敵病魔，與世長辭了。

故事 2：對先人不敬終喪命

「阿黎，我清明節有事，去唔到拜阿爸，你得唔得閒順便幫我阿爸個墓清一清雜草同換過棵鮮花啊？」下班後，周生向鄰居黎生說。

「OK ！無問題，反正咁近，可以幫一幫你手啊！」黎

生想也不想就答應了。

可是，黎生沒想到因為幫朋友，會令自己惹上厄運……

有相為證

很快便到了清明節那天，黎生遵守承諾，處理好自己父母的墓後， 便到周家的墓幫忙清理雜草和插上鮮花。當所有事做得七七八八，黎生突然把姪女 Coey 叫了過來。

「Coey ！過來幫叔叔手！」黎生邊叫邊向Coey 揮手，但由於聲量太大，不禁惹來其他人不友善的目光。

Coey 很快便走了過來，看到黎生手上拿著相機，便不解地問：

「做咩啊？你想喺度影相啊？」

「係啊！阿周叫我幫佢阿爸墓剪草插花，做人要講口牙齒，我應承嘅一定會做到，快啲嚟幫叔叔影相證明！」黎生將相機交到 Coey 手上，便走到墓碑前，一手搭著墓碑，一手比 V 字手勢。

Coey 雖然心感不安，多次出言阻止，可是見叔叔一直很堅持，也只好幫他影相。

相中出鬼影

一星期後，Coey 幫叔叔沖印當天的照片，照片一到手，Coey 嚇得照片都掉到地上了。她看見叔叔身邊有多個看不清樣子的白影，圍著叔叔……

沖印店老闆看到後，說：「呢個男人好大膽啊，在墓地咁邪的地方影相，仲要搭住個墓碑，真係唔方唔邪門啊……即使是親人的墓地，後人最好都不要這樣做啊！」

Coey 有預感叔叔會出事，當她想致電叔叔時，卻接到家人的電話：「Coey ！你叔叔撞車，已經就捱唔住了，快啲嚟見佢最後一面……」

故事 3： 亡母報夢

阿琴從小就十分喜歡黏著母親，最近，母親因病過身，阿琴日日以淚洗面。

好不容易處理好所有身後事，母親的墓碑已安頓好，大家已經開始收拾心情，重新過活。

三度夢見母親

「媽！我好掛住你啊！」夢中，阿琴看到母親的身影，激動地衝到她面前。

可是母親卻一副呆滯的樣子，無論阿琴怎樣叫她，她還是目無表情地站立在前。這個月來，晚晚夢境一樣，阿琴每次夢到母親漸漸消失後，她就醒來了。

心感疑惑的阿琴決定問一下家中唯一的親人——哥哥。

哥哥亦表示這個月經常夢見母親，可是卻跟阿琴不同，他看到母親站著流淚，身上的衣服亦不時透出水滴。

「好多水……」夢中的母親對著哥哥說。

兩人都對此夢境十分疑惑，為了得知母親想帶出的訊息，兩人決定去問米。

「好濕……」問米婆突然張開眼，然後便轉了態度，用著低音的聲線說著，是母親上身了。

「好濕？咩好濕啊？」阿琴不明所以地問。

「母親」低頭說：「好多水……」

兩人沒來得及追問，「母親」已經離開了，問米婆猛然張開眼睛，示意母親已走。

「咩叫好濕，好多水啊？」哥哥一臉奇怪說。

「係咪亡母落葬的地方有水啊？」問米婆問。

「水？無可能啊！每次見都好乾淨！」哥哥一口否認了，可是身邊的阿琴卻如夢初醒，說：「啊！我知啦！阿媽個墓地兩邊樓梯口都有水龍頭！但水龍頭怎也無法扭得緊，水滴在地上形成水窿！」

問米婆婆說：「這些水會一直滲入泥土，令你們母親被水包圍，無法入土為安……」

兩兄妹馬上找人修好水龍喉後，自此，當阿琴再夢到母親後，都會發現母親笑著看著她。

故事 4：誤信風水神棍惹惡運

阿華和結了婚 6 年的阿宜爭吵不絕，阿華因生意失敗欠了不少債，兩人為此而聊到離婚的階段。雖然阿華很生氣，但想起以前幸福快樂的日子，也希望嘗試挽救這段感情。

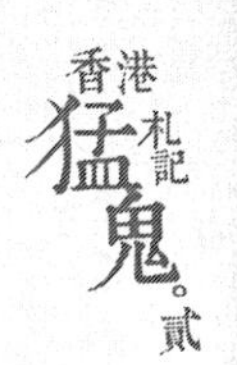

神棍風水師

「如果想增加錢財運同婚姻運，那你就要買些道具討個吉利。」

師傅在屋子內走了幾轉，再說。

「要買甚麼呢？」阿華問。

「依我所見，你最少要買一幅大型的馬像掛畫掛在客廳，才可以化解惡夢。」風水師傅頭頭是道地說。

阿華對風水師傅深信不疑，總共花了萬多元，託師傅買入一張大型馬像掛畫及一個觀音像，然後再花了各種小錢去購買靈符、擺陣。可是，情況卻沒有好轉……

夫妻爭吵激烈終離婚

即使阿華找了風水師傅幫忙，但運勢不但沒有好轉，反而更加惡劣。阿華的公司遭人兩次爆格損失慘重，他因心急找快錢，私下買賣走私煙被判入獄，阿宜一氣之下，帶同女兒出走，最後阿華人財兩失……

故事5：　擇錯日下葬累全家

某個單位內，不斷傳出幾個人爭吵的聲音：

「我嘅師傅好啲！佢係鼎鼎大名嘅風水師傅，擇嘅日子一定最好！」一名身形肥胖的男人大聲說。

「黃大仙廟更加靈，應該要跟我呢一日安葬！」另一名身形瘦小的男人反擊道。

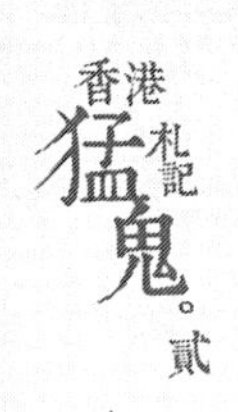

阿芯看著眼前兩位叔父爭吵不迭。

事源是阿芯的祖父去世了，家裡分別有五人為了安葬祖父一事而擇日，阿芯爸爸和兩位哥哥已先後退出，只餘下兩位叔叔在爭日子……

最終，由於身形肥胖的叔叔阿強輩份比較大，大家都只好聽阿強的話。

安葬當天竟是凶日

安葬完後，除了阿強之外，阿芯一家人都乘著房車駛回家。

「真係唔忿氣！竟然俾個肥嘢決定老豆幾時落葬！」身形瘦小的阿明一臉不忿地說。

「個阿強成日想分身家咁，點會咁好死幫手擇吉日啊？」阿明的妻子也說。

阿明看見姪女阿芯臉色有異，追問下，阿芯才臉有難色地說：

「我兩個哥哥找過師傅揀日子，他說今日下葬，對爸爸和叔叔兩房人很不利，會有血光之災……」

「你點解唔早講？宜家已經落葬，咩都嚟唔切啦！」阿明激動地說。

話音剛落，一架失控的貨車正從後向著房車衝著……

意外中，阿芯及其父親、叔叔阿明和嬸嬸均傷重入院，嚴重骨折，住院足足半年才康復。

故事6：亂起墓碑惹厄運

嘉嘉的祖父已過世幾年，一直安葬得好好的。直到某天，大伯找了個風水師查看父親的墓，所有事都開始變了……

墓碑向海不利後人？

「金師傅話，如果墓碑對海，會影響後人的運勢啊！你們不想賺錢發達同有運行咩？如果唔轉位，全家都好黑仔！」大伯言之鑿鑿地說。

「大伯，咁全部墓碑都對海啦，唔通全部人都好黑仔咩？」嘉嘉母親一臉不相信地說。

「多一事不如少一事，這些事好邪，加上我們現在都很幸福，根本沒有需要吧！」嘉嘉父親也站出來說。

「唔得！一定要轉，金師傅話一定要轉，我日子都約好了！」

大伯拍桌大聲說，看那異常激動的反應，大家都覺得很奇怪。嘉嘉一家人最後還是順大伯的意思，將墓碑轉了位，誰知，一家人從此被厄運纏上……

家門不幸 惡夢不斷

自從那天開始，嘉嘉的倒霉遭遇接踵而來。

原來十分恩愛的父母，那天開始後便天天吵架，更發生家暴差點入院。更不幸的是，身體一直很健康的父親，一年後因急病過身！哥哥開的藥材店更多次入了貴貨後被爆格，最後更因電線短路而燒了整間店，幾乎造成人財兩失！至於嘉嘉，在應考大學入學試的重要關頭肺炎入院，不得不放棄考試……

大伯家風山水起

至於大伯一家卻剛好相反！

大伯開的店不但生意良好，還開了兩間分店，而且好運一直來，子女個個讀書出色，最後畢業都找到好工作、被上司賞識，一家都健健康康。

相對比嘉嘉一家，簡直是天堂與地獄的分別。

故事 7：睡房放神像招惡果

Miki 和 Don 結婚好幾年，一直未有過小孩。兩口子用盡各種方法，包括從醫療、飲食、上山拜神通通都試過，過了幾年都是中空寶。

最近，Don 的家人買了一個已開光的多仔佛給 Miki 兩夫婦，兩夫婦亦將多仔佛放在床頭，希望可以早日中標。

真的中標？

過了幾個月，Miki 陸續出現各種身體不適的症狀，例如經常頭暈、想吐、渾身無力等，直到連續三個月都沒有月事，大家才意識到 Miki 終於「中獎」了！

可是，經過醫生的檢查後，證實 Miki 只是「假懷孕」，由於太過希望懷孕，心理上會令身體產生變化。當大家知道 Miki 只是「假懷孕」，都感到十分失望。

越來越大的肚子

雖然醫生證實了 Miki 是「假懷孕」，但她的肚子不斷脹大，懷孕的特徵越來越明顯。一天，Miki 的媽媽上來探望兩人，發現床頭上擺放了多仔佛，表現得十分驚訝。媽媽馬上告誡女兒道，多仔佛畢竟是神明，進行房事的時候豈能給神明看見？最後，Miki 聽從指示，將多仔佛搬到客廳，不久後，Miki 的怪病不藥而癒了。

一年後，得到多仔佛的庇佑，Miki 終於得償所願，懷上小孩了。

故事 8：墮入鬼迷宮

「媽！我好急尿，我想去廁所啊！」明仔邊玩最新買的手機，邊對遠處的父母說。

「好快得啦，拜埋爺爺，再清理好啲雜草就得啦！」明仔的爸爸邊說邊清理地上的雜草。

明仔一臉不情願地站在遠處，拿著手機對朋友宣洩不滿。今天是清明節，明仔一家人很早就起床拜祭祖先，而明仔每年都滿不情願地被帶去。

解決後怪事連連

過了半小時，明仔很不耐煩地又向父母說：「我好急呀！我要去廁所！」

明仔的爸爸苦口婆心地說：「忍耐多一陣啦！」

明仔急得要命，沒有理會父母的阻止，勁直地走往另一邊的草地，除下褲子便就地解決了。

「舒服晒！」明仔解決完之後，正準備轉身離去，卻突然聽到一句「哎呀……」聲音彷彿是從地下傳出來。明仔向下查看，除了雜草之外便再沒有其他東西，於是也沒為意地往父母的方向走去。

就在明仔轉身的一刻，彷彿置身於異度空間，眼前景像完全變了樣，四野無人，連墓碑都沒看到一個！

明仔記得轉身向前行，再轉左即可以看見父母，可是當明仔重覆走了 3 次，還是回到原地！明仔一直向前走，看到前方已是樹林，便折返回去，可是一眨眼，又困在那片漆黑的樹林中……

幸得老人相救

明仔開始感到不知所措，軟癱在地上放聲大哭。突然間，一隻大手搭了在明仔的肩上，嚇得明仔更加放聲大叫。

「小朋友，你係咪蕩失路啊？」一把慈祥的男聲從後傳出，明仔轉身一看，原來是一個老伯伯。

「係啊！我同父母嚟拜山，但我急尿於是行開一陣解決，跟住就發現行唔番去父母個邊，最後仲唔知點解無啦

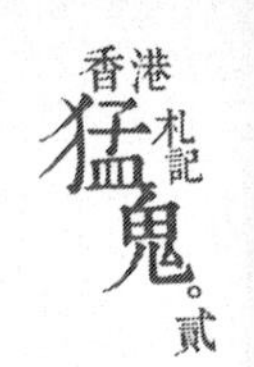

啦入咗嚟……」說完，明仔又開始哭起上來。

老伯伸手摸了摸明仔的頭，用溫柔的聲線安慰說：「乖，伯伯帶你出番去啊！」

老伯伯伸手牽起明仔，兩人手牽手地行過了一片樹林，但老伯手上的冰冷感令明仔覺得有點不安。明仔抬頭看了看老伯，不知為何，他總覺得老伯的臉色很白，而右邊臉有一塊巨型的紅色胎記，令人怵目驚心。

突然間，老伯伯低頭對上明仔的視線，說：「小朋友，你叫咩名啊？」

「劉在明……」明仔戰戰兢兢地答。

「哦，明仔啊，以後在山頂唔好亂咁大小便啊，好危險㗎……」

老伯伯似乎有話想說，但隔了好久也沒接話。

明仔似懂非懂地點頭，突然，一陣強光進入眼簾，明仔看見自己回到剛才小便的草叢！

「明仔，我只可以陪你行到呢度，你自己行番出去啦！」老人指著前方。

「但係……我行了三次都出唔番去……」明仔猶豫地看著老伯。

「無事啦，你宜家可以出番去，記得以後唔好隨處小便啦，今次你遇到我係好彩，未必有下一次……」老伯語重心長地說。

明仔不明所以，只是點了點頭便向前方走，走到一半，明仔轉身想向老伯道謝，但老伯已消失得無影無蹤。

原來老伯是……

「明仔！你去咗邊啊，我哋好擔心你啊！」明仔的父母看到明仔後，便上前查看明仔有沒有受傷。

「我無事啊，頭先去咗痾尿，點知迷路，好彩有個伯伯帶我出嚟咋！佢塊面好恐怖，有塊大紅印！」明仔說著，然後便指著前方，說：「就係佢啦！」

明仔手指的方向，正是墓碑的所在，而那個墓地埋住的便是明仔的爺爺，右臉上有一塊紅色的胎記……

他看到老伯伯從遠處向自己揮手，明仔也回禮似的，用力向老伯揮手，並一臉天真地大叫：「唔該伯伯！」

在旁的父母看著明仔對著空氣揮手和叫喊，一臉錯愕。

故事9：青光鬼盜掠奪財富

阿權是一個商人，最近和妻子美鈴結婚後，就買了一個單位。可是，自從阿權搬進單位後，生意合作上總是有阻滯，最近才流失一個大客戶，妻子又不幸遇上損友，被騙去大筆錢財，搬入新居後，兩人在錢財上都有損失，讓兩人十分煩惱。

夢中驚現綠色青光鬼

不知從何時開始，阿權每隔一段日子，就會發夢看見一個全身散發綠光的人影，拿著一個盒子，賊頭賊尾地在自己面前走過。當那個青光人發現阿權原來是看到自己的，便怪模怪樣的對阿權笑著，像看不起阿權一樣，不斷譏笑著。

阿權漸漸發現，每當那個青光人捧走一個盒子後，家裡一定會有錢財損失。

可是，阿權慢慢發現，家裡除了有錢財損失外，健康也出現了問題！除了整天沒有精神之外，經常感到疲累、頭痛，甚至嘔吐等，而妻子更是不幸病了整整一個月都無法病癒。

眾鬼不滿被搶地盤

直到某天，一位法師朋友明哥前來探訪，一看之下，就發覺單位有問題。阿權見明哥似乎可以幫到他們，於是也開門見山，將搬家後所有倒楣的遭遇都告訴明哥。

明哥一臉認真地說：「你那個夢是個預警，預告那隻鬼會慢慢地搶去你們的錢財，更加嘲笑你們一直不知道。」

阿權聽到後大驚，連忙問：「咁點算啊？」

明哥又說：「靈體不喜歡你侵佔了它們的地方，所以先會想搶走你的錢，等你無錢用！做場法事俾佢哋，佢哋地就肯走啦！」

翌日，阿權安排明哥做了場法事，拜祭新居內的「鬼朋友」，自此阿權便再沒有夢見青光人了，而兩人的健康運和財運漸入佳境。

故事 10：店內孤魂擋生意

Zita 在早幾年開設了一間時裝店，生意不錯，直到最近決定擴大業務，連同附近的單位一起租賃並擴建。全間店經過精心的裝修，花了好幾十萬後，生意不但沒有起色，反而越來越冷清……

即使 Zita 做過各種優惠、減價、宣傳都毫無起色。在一次朋友的介紹下，Zita 找到一個法師，法師一來到店面後，一臉驚訝。

「好多遊魂野鬼！」

當法師一走進店內後，一臉驚訝地看了看四周，再對 Zita 說：

「你間店，有好多遊魂野鬼，坐住嘅、瞓低嘅，甚至睇衫嘅都有，你做過咩嚟？」

Zita 一臉茫然地道：「我只不過係租多幾個單位，然後進行擴建而已！」

法師又問：「你有無拜過四角？一個單位空置太久，會有遊魂野鬼侵佔，如果不拜四角跟他們打招呼及請他們離去，他們會覺得自己的地方被侵佔，會阻礙你做生意！」

Zita 聽過後頓時明白，說：「哦！明白了，我原本個單位因為係朋友轉手，所以一直無事，而其他單位則空置了一段時間，所以才會有鬼！」

「對，店內有鬼，即使客人有看中東西，但遊魂野鬼

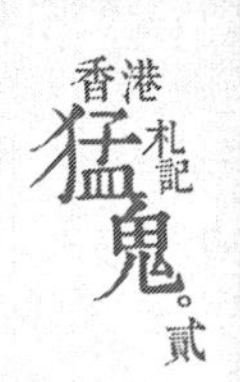

作祟，最後都無空手而去。」法師說。

法師超渡亡魂

事後，Zita 立即請法師幫忙超渡，希望可以請走店內的遊魂野鬼，盡早投胎。

而 Zita 也跟足儀式拜回四角，香燭衣紙祭品齊備，希望遊魂野鬼飲飽食醉，收好紙錢便盡早離開。

儀式完成後，Zita 感到店內的空氣變得清新了，也沒了以前那種壓迫感，整間店有了不少生氣，客人亦陸續有來。

故事 11：巨畫陰靈

Kenny 和 Katy 結婚十年，兩人為了慶祝特意重新去拍了一輯結婚相，並在床頭上掛了一張巨型的結婚相做裝飾。其實在不足一百呎的主人房裡放了張一米乘兩米的巨畫太不成比例，但兩人一於少理。自從掛了這張相後，兩人常因小事而吵起來，甚至更會打起上來……

驚見老婆「偷食」

最近，Kenny 因公事要出外工作幾天，Katy 只好獨守空房，剛好 Kenny 早了一天回家，想起自己出門前仍與 Katy 爭吵，他覺得有點內疚，於是打算晚上好好哄哄 Katy。

晚上，待 Katy 睡著後，Kenny 打算偷偷睡在她旁邊，待她醒過來後給她一個驚喜。誰知，Kenny 打算爬上床時，竟然發現床上還躺著另一個男人！ Kenny 怒火中燒，立即打開燈準備跟 Katy 算帳，但一開燈，竟然發現床上只有 Katy 一人！

「老公？你做咩啊？」Katy 一臉茫然地問 Kenny。

可是 Kenny 當時已被憤怒充斥頭腦，想也不想便大罵：「你個衰婆，竟然出去偷食？剛剛我摸到有個男人瞓喺到，你都對得我住！」

Katy 感到莫名其妙，哪裡有男人，她一直都只是自己睡，從何處變出一個男人？為此，兩人又爭吵了，Katy 還氣得回娘家住。

床頭掛畫 影響夫妻感情？

兩人已冷戰了一個月， 兩家亦為此十分擔心， 更相約一起找 Kenny 商量此事，當 Kenny 母親一入兩人睡房，便急急地向 Kenny 說：「Kenny，你最好快啲拎走床頭張相。」

Kenny 不明所以地問：「點解？」

Kenny 母親語重心長地說：「傳聞，如果一對夫婦床頭掛相，會影響感情，而且由於是人像，好有可能會吸到靈氣，對人體不利……」

Kenny 想起，最近他們都十分累，但又找不出原因，而且經常爭吵。再加上那個「男人」……難道是……？

聽到母親這樣說，便立即把結婚相搬回偌大的客廳去。過了不久，兩人誤會解開了，和好如初，一如以往的甜蜜。